BIBLIOTHECA BODMERIANA

KATALOGE

VI

MUSIKHANDSCHRIFTEN

MUSIKHANDSCHRIFTEN DER BODMERIANA

KATALOG

bearbeitet von

TILMAN SEEBASS

Duke University
Durham, North Carolina

FONDATION MARTIN BODMER
COLOGNY-GENÈVE
1986

© 1986 FONDATION MARTIN BODMER, COLOGNY-GENÈVE
IMPRIMERIE DU JOURNAL DE GENÈVE
PRINTED IN SWITZERLAND
ISBN 3 85682 023 x

INHALT

VORWORT

Innerhalb der Bodmerschen Bibliothek nimmt die Sammlung der Musikhandschriften eine eigentümliche Stellung ein. Sie ist eher ein kostbares Nebenprodukt und nicht so logisch aufgebaut wie diejenige auf dem Zentralgebiet der Weltliteratur, wo bei Martin Bodmer gleichermaßen persönliche Liebhaberei wie wissenschaftliche und bibliographische Interessen im Spiel waren. In der Weltliteratur sah er einen Spiegel der Weltkultur und richtete seinen Eifer darauf, seine Bibliothek dafür eine Manifestation werden zu lassen.[1] Dabei war die Wahl der Sachgebiete und Schwerpunkte durchaus ein Ergebnis individueller Wertungen und Neigungen, doch bleibt die grundsätzliche Absicht immer spürbar. Aus der Musiksammlung spricht diese Konzeption nur undeutlich. Das läßt sich schon aus der Chronologie der Erwerbungen erkennen, auf die im Folgenden kurz eingegangen werden soll (vergleiche dazu die Übersicht auf S. 15-17).

Am Anfang steht als merkwürdiger Einzelfall der Erwerb von Zelters Essayfragment über Gluck im Jahr 1924. Ein Dokument zur Kunsttheorie also, und inhaltlich voller Perspektiven; man gäbe es gerne einem Doktoranden in die Hand, der es zum Ausgangspunkt für eine spannende Dissertation über Zelter und die Anfänge der Musikgeschichtsschreibung machen könnte. Für den Ankauf war jedoch gewiß nicht dieser Gesichtspunkt entscheidend, sondern vielmehr Bodmers Faszination für Goethe und Goetheana. Erst elf Jahre später begegnen wir wieder einem Stück, das in den Bereich der Musikgeschichte gehört: Wagners Textbuch zum "Fliegenden Holländer". Auch diese Wahl zeigt Bodmer von der Seite des am Text Interessierten, nur daß es diesmal um dichterische, nicht um abhandelnde Literatur geht.

---

[1] Das Ziel gewann mit den Jahren stärkeres Profil. Besonders deutlich formuliert ist es in einem Aufsatz, den Bodmer ein Jahr vor seinem Tod verfaßt hat: "Die Bibliotheca Bodmeriana" [= Image, Medizinische Bilddokumentation Roche, Basel, Nr. 36, 1970, S. 22-32]. Mehr andeutungsweise ist es angesprochen in früher erschienen Aufsätzen wie etwa "Quelques documents significatifs de la 'Bodmeriana' "[= Atti del 5° Congresso Internazionale di Bibliofili, Venedig 1967, S. 4-8] und "Über den Begriff des Sammelns" [= Nachrichten der Vereinigung Schweizer Bibliothekare und der Schweizer Vereinigung für Dokumentation, Nr. 5, 1957, S. 149-162].

Spätestens im selben Jahr erfuhr Bodmer vom Verkauf eines großen Teils der Sammlung Stefan Zweigs, die aus Dichter- und Musiker-
autographen bestand. Zweig hatte sich zur Veräußerung an den Wiener
Antiquar Heinrich Hinterberger gewandt. Dieser faßte das ihm anver-
traute Material in einem Verkaufskatalog zusammen.

> Der Titel des Katalogs lautet: Katalog IX. Original-Manuskripte
> deutscher Dichter und Denker — Musikalische Meister-Handschriften
> deutscher und ausländischer Komponisten. Eine berühmte Sammlung
> repräsentativer Handschriften. Teil I. 1936. — Im folgenden Jahr bot
> Hinterberger praktisch denselben Bestand als Katalog 18 noch einmal
> an. Ein zweiter Teil erschien nie. Von dem, was Zweig zurückbehalten
> hatte, wurden einige Stücke nach dem zweiten Weltkrieg von seinen
> Erben weggegeben. Ein Autograph aus dieser Phase gelangte ebenfalls
> in die Bodmeriana (Schuberts 4 Hymnen D 659-662). Der bedeutende
> Rest wird heute als "permanent loan" von der British Library, Lon-
> don, aufbewahrt.

Aus diesem Katalog erwarb Martin Bodmer nicht nur viele Handschriften der Literatur, sondern auch den grössten Teil der angebote-
nen Musik.[2] Der Anreiz dazu wird wohl ein zweifacher gewesen sein:
Einmal hatte Martin Bodmer als Vorbild die berühmte Beethovensammlung seines Bruders Hans C. vor Augen, die damals bereits zum
grössten Teil beisammen war;[3] zweitens war die Gelegenheit einmalig,
um zu einem wohlfeilen Preis und mit nur ein oder zwei Kaufaktionen
den Grundstock zu einer Sammlung von Musikautographen zu legen.
Bodmer sah in dieser Öffnung zur Musik nicht nur ein in sich selbst
gültiges Vorhaben, sondern auch ein Projekt, das der Idee der Universalität in seiner Gesamtbibliothek zusätzliche Substanz verleihen sollte.
Gerade an der Zweigschen Sammlung war das Anziehende gewesen,
daß sie beides, Literatur und Musik, umfaßte. Das konnte für Bodmer
die Anregung oder Bestätigung der Idee sein, andere Bereiche (wie
etwa Naturwissenschaften, Philosophie, Religionswissenschaft und
Künstlergraphik) als Sammelgebiete mit einzubeziehen.

Er hätte keine bessere Basis für eine Musiksammlung finden können. Noch 1971, bei seinem Tode, macht sie ein Fünftel des Gesamt-
bestandes aus. Die Bedeutung des Erwerbs liegt gleichermaßen in der
Quantität, der Qualität und der Ausgewogenheit zwischen Kleinem
und Großem, Skizzen und endgültigen Niederschriften, Bekanntem
und Unbekanntem. Es fehlt nicht an Trouvaillen, die bis heute noch
auf eine Auswertung warten, wie etwa Donizettis Notturni, E.Th.A.

---

[2] Von den aus der Sammlung Zweig erworbenen Literaturautographen sind bisher
die englischsprachigen erfaßt und publiziert in MARGARET CRUM. English and American
Autographs in the Bodmeriana. Cologny-Genève 1977, siehe unter "Zweig" auf
S. 104.

[3] Siehe MAX UNGER. Eine Schweizer Beethovensammlung. Zürich 1939. Die
Sammlung ging 1956 als Vermächtnis Hans C. Bodmers an das Beethovenhaus in Bonn
und ist katalogisiert in HANS SCHMIDT. Die Beethovenhandschriften des Beethovenhauses
in Bonn [= Beethoven-Jahrbuch VII 1969/70, vii-xxiv, 1-443). — Albi Rosenthal
berichtet übrigens, daß Hans C. Bodmers Sammelleidenschaft für Beethoven bisweilen
Martin Bodmers eigenen Erwerbsplänen im Wege stand.

Hoffmanns Duettinen oder A. Scarlattis Oratorium Santa Cecilia. Andererseits ist es auch aufschlußreich, die Hinterberger-Kataloge daraufhin durchzusehen, was Bodmer nicht erworben hat. (Zwar kann man die Möglichkeit nicht ausschließen, daß einzelne Stücke schon verkauft waren, als Bodmers Bestellung eintraf, doch hätte dann kaum Anlaß bestanden, Katalog 18 herauszubringen. Aus demselben Grunde ist es unwahrscheinlich, daß Bodmers Kauf vor der Drucklegung von Katalog 18 abgeschlossen war.) Kein Interesse fanden vor allem Stücke des 18. Jahrhunderts: C.Ph.E. Bach, W. Friedemann Bach, Galuppi, Jommelli, Michael Haydn, Leopold Mozart, Paisiello, Wagenseil und Louis Ferdinand von Preußen blieben unberücksichtigt. Bezüglich des 19. Jahrhunderts erstaunt der Verzicht auf Beethovens Skizzen zu op. 110, vier der Sieben Lieder für gemischten Chor op. 62 von Brahms sowie Werke von Smetana und Tschaikowsky. Man kann sich dafür verschiedene Gründe denken. Bodmer hatte wahrscheinlich schon zu diesem Zeitpunkt einen Rahmen für die Musiksammlung abgesteckt. Zu viele Stücke von weniger bekannten Komponisten hätten zu einem Ausbau verpflichtet, der über die der Musikabteilung zugedachte Dimension hinausgegangen wäre. Möglich ist auch, dass er sich über den Seltenheitsgrad oder die musikhistorische Bedeutung eines Stücks nicht immer klar war. Schließlich wollte er in Fällen wie Brahms oder Beethoven vielleicht bessere Stücke abwarten.

Hinterberger bot in seinen Katalogen keine Musikerbriefe an, und dieser Bereich blieb auffallenderweise auch später in Bodmers Musiksammlung fast ausgeklammert. Kann sein, dass dahinter die Absicht stand, nur werk-, nicht personenorientierte Zeugnisse aufzunehmen. Jedenfalls stellt sich Bodmer mit dieser Eigenart in Gegensatz zur Auffassung anderer Musikautographensammler, etwa der seines Bruders, der über vierhundert Beethoven-Briefe besaß, aber auch der zweier anderer Schweizer Zeitgenossen, Robert Ammann [4] und Arthur Wilhelm.[5] Die Einschränkung wird dadurch noch auffallender, dass sie für andere Handschriften-Abteilungen der Bodmeriana nicht in diesem Maße zutrifft; im Bereich der Literatur und der Wissenschaften spielen Briefautographen immerhin eine gewisse Rolle.

Im Jahr 1938 folgt der Kauf des ersten Beethoven-Manuskripts, einer Skizze zur Klaviersonate op. 28. Dann tritt eine kriegsbedingte Pause ein, darnach bricht die Kette von Käufen bis zu Bodmers Tod kaum mehr ab. Die Jahre 1949, 1950 und 1957 ragen als besonders erntereich heraus. 1949 ist gekennzeichnet durch den Ankauf des Scarlatti-Oratoriums nebst Autographen von Cimarosa, Richard Strauss und Wagner. Auch das Frescobaldi-Manuskript wurde damals erworben. Bodmer betrachtete es gewiß als ein Kernstück der Sammlung;

---

[4] Siehe den Versteigerungskatalog der Ammannschen Sammlung: Firma Stargardt, Marburg, Nov. 1961, Katalog 555.

[5] Einblicke in die Sammeltätigkeit Wilhelms sind bis heute schwer zu gewinnen. Er war zusammen mit zwei jüngeren Schweizer Sammlern vertreten in einer Ausstellung im Basler Kunstmuseum in 1975. Siehe dazu TILMAN SEEBASS. Musikhandschriften in Basel aus verschiedenen Sammlungen. Ausstellungskatalog. Basel 1975.

erst nach seinem Tod entdeckte man, daß es sich um eine Kopisten-
abschrift handelt. 1950 steht im Zeichen des Weber-Autographs sowie
der Kostbarkeiten von Brahms, Liszt und Strawinsky. Im Jahre 1957
schliesslich füllt Bodmer mehrere Lücken im Bereich der Musik nach
1850.

In den anderen Jahren sind die Eingänge von Musikhandschriften
in die Bibliothek eher isolierte Ereignisse innerhalb des Stroms von
Erwerbungen in anderen Gebieten. Mit viel Glück — ein Mißverständ-
nis hinderte einen anderen Interessanten am Mitbieten — erwarb Bodmer auf einer Versteigerung im Jahre 1969 als letztes Glanzstück
Mozarts Streichquintett KV 593. Es war ihm vielleicht von allen
Musikautographen das liebste, und sein Besitz muß für ihn die Krö-
nung der Sammlung gewesen sein.

Ein Musikautographensammler, der nach dem zweiten Weltkrieg
seine Sammlung ausbauen wollte, stand vor anderen Problemen als
seine Vorgänger; die Marktsituation hatte sich in kaum vorstellbarem
Ausmaße geändert. Noch zu Zeiten Wilhelm Heyers, Alfred Cortots
und Louis Kochs war es verhältnismäßig einfach gewesen, große
Partituren zu erwerben. Das Angebot war reich und die Nachfrage
mäßig, da die öffentlichen Bibliotheken mit ihren relativ beschränkten
Mitteln nur eine bescheidene Konkurrenz darstellten. Aber von der
Mitte der fünfziger Jahre an mußten viele Privatsammler infolge des
rapiden Preisanstiegs den Schwerpunkt ihres Interesses auf kurze
Werke in kleiner Besetzung, unsignierte Blätter und Fragmente, Skizzen, Albumblätter und Briefe verlegen. An sich wäre es Bodmer möglich gewesen, diesem Trend zu widerstehen, doch hätte er dazu andere
Gebiete, die ihm näher lagen und für seine Konzeption der Bibliothek
wichtiger waren, zurückstellen müssen. Dem Trend bis zu einem
gewissen Grade zu folgen und kleinere Stücke einzuschließen, erfordert
andererseits vom Sammler eine ungleich viel intensivere Beschäftigung
mit der Materie, wenn der Anspruch auf Universalität aufrecht erhalten
werden und das Ergebnis ein zusammenhängendes System von Bezü-
gen sein soll. Das Autograph eines berümten Werkes von einem
angesehenen Händler zu erwerben, erfordert vom Sammler nur wenig
Recherchieren. Doch nimmt der Aufwand, der nötig ist, um ein kleineres oder unbekanntes Manuskript in seiner Bedeutung zu erkennen,
umgekehrt proportional zu seiner Größe zu. So überrascht es denn
nicht, angesichts des Raumes, den Bodmer der Musikabteilung im
Rahmen der Gesamtbibliothek einräumte, daß man hie und da auf
Ungleichheiten stößt. Gezielt Erworbenes steht manchmal dicht neben
Zufallskäufen, Einzigartiges neben Durchschnittlichem. Der Vorteil
ist, daß uns Bodmer als Musikliebhaber mit seinen Neigungen und
Abneigungen lebendig greifbar wird, plastischer als der Besitzer einer
lückenlosen Sammlung von Spitzenstücken. Er bekennt sich zu Beet-
hoven und Wagner, zieht Oper und Vokalmusik der Instrumentalmu-
sik vor und das 19. Jahrhundert dem Rokoko und atonaler Musik.
Solche Gewichtungen geben der Sammlung einen besonderen Reiz. —
Doch ohne daß die Gesamtqualität darunter zu leiden hätte; denn die
Liste der Namen ist gleichwohl erstaunlich vollständig, und das Spek-

trum der Manuskriptgattungen könnte nicht farbenreicher sein. Beides legt Zeugnis dafür ab, wie weit der Horizont Bodmers war und wieviel Sinn er für die Möglichkeiten auch des Musikautographensammelns besaß.

*

Für die Katalogbeschreibung einer so gearteten Sammlung ein Konzept zu finden, das allen Gesichtspunkten gerecht wird, ist wohl kaum möglich. Denn die Beschreibung etwa der Handschriften Alessandro Scarlattis und Händels folgt anderen Kriterien als die eines Blattes aus dem 20. Jahrhundert. Erschwerend kommt hinzu, daß der Wissensstand bezüglich der einzelnen Stücke außerordentlich unterschiedlich ist. In gewissen Fällen kennt man nicht nur das Werk seit langem, sondern ist auch imstande, die Geschichte der Vorbesitzer bis in die Tage Georg Poelchaus, Johann Elßlers oder der Erstverleger zurückzuverfolgen; in anderen Fällen ist nicht einmal der Inhalt identifiziert. So ließen sich gewisse Ungleichheiten nicht umgehen, und es bleibt zu hoffen, daß der gewählte Kompromiß auch für den Spezialisten annehmbar ist.

Die Beschreibung der Einzelstücke gliedert sich in sechs getrennte Abschnitte:

1. Titel der Komposition in kursiv im exakten Wortlaut des Autographs. Die Angabe wird soweit nötig ergänzt durch Zusätze in eckigen Klammern über die Werkgattung, die Opusnummer und den Textdichter.

2. Manuskripttypus (Partitur, Particell, Skizze etc.), womöglich ergänzt durch einen Hinweis auf die nähere Zweckbestimmung wie Druckvorlage, Dirigierpartitur oder den Zustand. Es folgen Angaben zu Takt und Tonart und gegebenenfalls Taktzahl.

3. Umfang und äußere Merkmale (Schreibstoff, Einband, Format, Wasserzeichen und Schreibmaterial).

4. Kollation mit Inhaltsangabe unter Benützung von Originaleinträgen (kursiv und in Anführungszeichen). Datierung und Signierung.

5. Materialien zum Stammbaum der Besitzer des Autographs vom Ankauf Bodmers zurück bis zur Niederschrift.

6. Fußnotenteil, der insbesondere über die Einträge von fremden Benützern und Besitzern des Autographs Auskunft gibt sowie die Sekundärliteratur aufführt. Antiquariatskataloge werden hier nur erwähnt, sofern sie nicht schon unter 5. nachgewiesen sind. Literatur, die sich nur auf das Werk, jedoch nicht auf die Handschrift bezieht, steht in Klammern.

Fast alle Autographen sind in vorgedruckten Kladden der Bodmeriana aufbewahrt. Ein Signatursystem besteht nicht. Die Musiksammlung ist — unter Ausschluß der Großformate — alphabetisch geordnet.

*

Mit Dankbarkeit gedenke ich der Kollegen und Freunde, die mir mit ihrem Spezialwissen zuhilfe kamen, wenn die Beschreibung Probleme bot. Es sind dies Samuel Baud-Bovy (Genf), Giorgio und Adriana Ciompi (Durham, North Carolina), Margaret Crum (Oxford), Alfred Dürr (Göttingen), Rudolf Elvers (Berlin, BRD), Rufus Hallmark (New York), John Hanks (Durham, North Carolina), Albi Rosenthal (Oxford), Hollace A. Schafer (Waltham, Massachusetts), Adolf Seebaß (Basel), László Somfai (Budapest), Larry Todd (Durham, North Carolina), Edward Williams (Lawrence, Kansas) und Ross Wood (Rochester, New York). Frau Eveline Bartlitz (Deutsche Staatsbibliothek Berlin, DDR) und die Bibliothekare im Schillerarchiv in Marbach mit seiner großen Sammlung von Antiquariatskatalogen und in der Staatsbibliothek Preußischer Kulturbesitz (Berlin, BRD) liehen mir während meiner Besuche bereitwillig ihre Hilfe. Ihnen bin ich ebenso dankbar wie den vielen Antiquariatsfirmen, die sich die Mühe nahmen und in den Handexemplaren alter Verkaufskataloge über die Vorbesitzer für mich nachforschten. Ebenso gilt mein Dank dem Research Council der Duke University für die Übernahme von Reisekosten sowie dem Sekretariat und besonders dem Direktor der Bodmeriana, Dr. Hans Braun, der meine Aufenthalte in Cologny denkbar angenehm machte. Meine Frau Elisabeth stand mir bei der Revision der Beschreibungen mithilfe einer zweiten Überprüfung der Originale bei, was das Vergnügen an der Arbeit erhöhte und das Ergebnis verbesserte. Der Katalog wurde im Sommer 1981 abgeschlossen.

Durham, 1. Januar 1983

CHRONOLOGIE DER ERWERBUNGEN

(Z = Erwerb aus der Zweigsammlung)

1924   ZELTER Entwurf Gluckaufsatz

1936   WAGNER Textbuch 'Fliegender Holländer', DONIZETTI 6 Notturni (Z), SCHUBERT Lied 'Die Erwartung' (Z)

1937   (alle Z:) BACH Violastimme zu eine Arie der Kantate BWV 130, BIZET Aufsatzmanuskript, BIZET Miniatur für Klavier, BRUCKNER Harmonielehrübung, CHOPIN Fragment der 'Grande Fantaisie', GOUNOD 'Prière' für Klavier 4-händig, GRAUN Rezitativ und Arie aus 'Ulisse', HAYDN Skizzen zur Sinfonie Nr. 86, HOFFMANN 6 Duettinen, KREBS Choralbearbeitung, LOEWE Fabellieder, MENDELSSOHN 'Reiselied', MOZART Bandelterzett, REGER Lied 'Der eifersüchtige Knabe', ROUSSEAU Lied 'Romance', SCHUBERT Lied 'An eine Quelle', SCHUMANN Skizzen zu den Liedern 'Vom Reitersmann' und 'Keuzlein', ZELTER Lied 'Alle für Einen...'

1938   WOLF Lied 'Das Köhlerweib', BEETHOVEN Skizze zu op. 28.

1947   BERLIOZ Lied 'Lamento'

1948   LISZT Psalm 129, ROSSINI Lied 'L'âme délaissée'

ca. 1948   SCHUBERT 4 Hymnen für Singstimme und Klavier (Z)

1949   CIMAROSA 'Rondo' aus 'Angelica e Medoro', [Frescobaldi] Das 2. Buch der Tokkaten, SCARLATTI 'S. Cecilia', R. STRAUSS 'Annies Traum' aus 'Enoch Arden', WAGNER Skizze zum 'Fliegenden Holländer'

1950   BRAHMS Lied 'Ständchen', LISZT Gounod-Klavierbearbeitung, MAHLER Skizze zur 4. Sinfonie, STRAWINSKY Skizzen zu 'Petruschka' (Neufassung), WAGNER Fragment aus 'Tannhäuser', WEBER Cellokonzert 'Potpourri'

1951   VERDI Arie aus 'I Lombardi'

15

1952 BEETHOVEN Skizzen zur Missa Solemnis, J. STRAUSS (Sohn) Polka 'Freikugeln'

1953 BEETHOVEN Skizzen zu op. 106, GLUCK Fragment aus 'Echo et Narcisse', GRIEG 'Ballade' für Klavier, OFFENBACH Skizze, SPONTINI Kontrapunktübungen

1954 CHERUBINI Credofragment und Brief, HÄNDEL 4 Lieder, [MENDELSSOHN] 'Frühlingslied', MENDELSSOHN Lieder ohne Worte op. 62 Nr. 6, WAGNER Textbuch 'Tristan und Isolde'

1955 DEBUSSY Lied 'Il dort encore...', FAURE Lied 'Pleurs d'or'

1956 TSCHAIKOWSKY Lied 'Schlaflose Nächte'

1957 BEETHOVEN Skizze zur Leonorenouvertüre I, FRANCK Lied 'S'il est un charmant gazon', HONEGGER 2 chants d'Ariel, MASCAGNI Hochzeitsfanfare, MASSENET Klavierbearbeitung aus 'Manon', PFITZNER Nachspiel zur 'Rose vom Liebesgarten', RAVEL Fragment aus 'L'Enfant et les sortilèges', SAINT-SAËNS Skizze zu Orchesterwerk, WAGNER Albumblatt 'Parsifal'

1958 R. STRAUSS Skizze zur 'Salome' mit Brief

1959 MASCAGNI Briefe, PUCCINI Albumblatt, STRAWINSKY Postkarte, WAGNER Albumblatt 'Tristan'

1960 MEYERBEER Notenbüchlein zu 'Robert der Teufel', WAGNER & BÜLOW Korrekturbogen 'Tristan'

1961 BRITTEN Lied 'Foggy-foggy dew', HEGAR Lied 'Uf em Bergli', HINDEMITH Liederskizzen und Neujahrgruß, LASSO Stammbuchblatt, WAGNER Albumblatt 'Siegfried'

1962 BEETHOVEN Lied 'Andenken'

1963 BEETHOVEN 'Melodrama' aus 'Fidelio'

1964 DVOŘÁK Fragment aus Requiem, LORTZING Albumblatt 'Waffenschmied', PUCCINI 'Valzer di Musetta' aus 'La Bohème'

1965 BERG Lied 'Herbstgefühl', SCHÖNBERG 2 Lieder von L. Pfau

1967 BARTÓK & BALLA Volksliedübertragung

1968 WOLF Lied 'Aus meinen großen Schmerzen'

1969 LISZT 'Soldatenlied', MOZART Quintett KV 593, WEBERN Skizzen zu den Liedern 'Aufblick' und 'Du träumst so süß'

1971 LEONCAVALLO Albumblatt 'Zaza'

1977 VOGEL Essay

Zeitweilig in der Sammlung

1953 bis spätestens 1961 MOZART Streichquartett in F-Dur, KV 168, Partitur.

ca. 1957–1958 BEETHOVEN Klaviertrio in B-Dur, op. 97, Korrekturabzüge mit eigenhändigen Verbesserungen; von W. Schatzki 1958 zum Verkauf angeboten.

KATALOG

Lasso, Orlando di (um 1532-1594)

[Wahlspruch auf der Rückseite eines Buchblattes:] *1579 | leal*
[= loyal] *jusques a la mort | orlando | de lassus:*

1 Blatt, linker Rand abgerissen; gelblich weißes Papier; Hochformat: 138: 89/92 mm.; dunkelbraune Tinte.

Fol. Z[r] einer Ausgabe der Icones Biblicae nach Hans Holbein d. J.[1]: Holzschnitt (Gelehrter mit Heiligenschein am Schreibtisch, ein Schreiben einem Kriegsmann überreichend, Oval in rechteckigem Zierrahmen), darüber und darunter je ein Distichon, oben «S. Pavlvs.», unten Lagenweiser «Z» und Custode «S. Petrvs»; Fol. Z[v]: leer bis auf Lassos Eintrag.[2]

Erworben bei Auktion Haus der Bücher, Basel & Stargardt, Marburg, Katalog, 30./31. Mai 1961, Nr. 877, mit Faksimile ← Erben Karl Geigy-Hagenbach, Basel, 1949 ← Karl Geigy-Hagenbach, Basel, vor 1939 ← ... ← Auktion Nachlaß Heyer II. Teil, Firmen Henrici & Liepmannssohn, Berlin, 9./10. Mai 1927, Katalog, Nr. 484 (mit Faksimile) ← Erben Wilhelm Heyer, Köln, 1913 ← Wilhelm Heyer, Köln ← ...

---

[1] Die Icones Biblicae gehören zu der Gattung der Stammbücher, in welchen die Vorderseite der Blätter jeweils mit Bildern und Beischriften bedruckt sind und die Rückseite für Stammbucheinträge frei bleibt.

[2] Lit.: Leuchtmann, Horst. Orlando di Lasso. Wiesbaden (1976), S. 66 (Besitzerangabe unrichtig). — Geigy-Hagenbach, Karl. Autographensammlung. [Katalog.] Basel 1939, Nachtrag IV Nr. 2628 mit Faksimile.

(FRESCOBALDI, GIROLAMO) (1583-1643)

Das zweite Buch der Toccaten, Canzonen etc. für Cembalo oder Orgel, kopiert nach der zweiten Ausgabe von 1637 und um sechs ungedruckte Toccaten erweitert von einem Schreiber in Norditalien zwischen 1640 und 1670.

99 Blätter (davon 94 foliiert) geordnet in 3 Einzelblätter, 47 Doppelblätter (eine 8er Lage, vier 6er Lagen, eine 4er Lage, eine 5er Lage, eine 6er Lage) und 2 Einzelblätter; in dünnes Pergament eingeschlagener Kartonband (Rücken und Rückteil teilweise fehlend, Wurmfraß im Rücken und in den Vorsätzen) in blauer Lederschachtel, auf dem Deckel Titel in abgesplitterter Goldprägung: "Gerolamo Frescobaldi / Toccate Canzoni e Correnti / / Autografo"; weißes Bütten; Querformat: 166/170: 242 mm.; Wasserzeichen (siehe DARBELLAY 56); hellbraune und dunkelbraune Tinte.

Durchwegs 4-zeilig rastriert mit zweimal 6 + 8 Linien. Inhalt [1]: fol. [o]: Vorwort "Al Lettore. Gerolamo Frescobaldi / / Hauendo io conosciuto . . .", 17 Zeilen; fol. [o^v]: 13 Zeilen, Ende des Vorworts ". . . die questa maniera, e stile di sonare."; fol. 1-77: 11 Toccate, 1 Madrigalbearbeitung "Ancidetemi pur" (Arcadelt), 6 Canzoni [2], Aria detta Balletto, 5 Gagliarde, Aria dette la Frescobaldiana, Corrente prima, Corrente seconda [3]; fol. 77^v unten: "Seguono altre Toccate / Dell'istess Autore / rac[c?]olte dagl'altri / Libri."; fol. 78-94^v: 6 Toccate, am Schluß unten rechts "Finis" und von anderer Hand "P.M.M."; fol. [95/96]: leer. Undatiert, unsigniert.

Erworben bei Auktion Parke-Bernet Galleries, New York, 3. Mai 1949, Katalog, Nr. 2 ← Slg. Natale Gallini ← . . .

[1] Vollständige Beschreibung des Manuskripts in DARBELLAY, ETIENNE. Un manuscrit frescobaldien à Genève [= L'Organo XIII 1975, 49-69]. — Neuausgabe des Druckes von 1637 in der Gesamtausgabe der Orgel- und Klavierwerke hrsg. v. Pierre Pidoux, Bd. IV, Kassel etc. 1948. — Etienne Darbellay kündigte im erwähnten Aufsatz eine Neuausgabe der beiden Toccatenbücher an.

[2] Im Druck von 1637 folgen hier 6 Choralbearbeitungen.

[3] Im Druck von 1637 folgen hier noch 4 weitere Correnti. Die in unserm Manuskript angefügten 6 Toccaten sind laut Darbellay nicht in Drucken nachweisbar.

SCARLATTI, ALESSANDRO (1660-1725)

S. Cecilia / Oratorio / a 4. 2 Sopr. Al^{to}. Ten.^{e} con Strom^{ti}. / Aless. Scarlatti / Feb. 1708 [ergänzt durch 13 eingeschobene Arien von GIOVANNI BATTISTA COSTANZI (1704-1778)]

20

Partitur D-Dur

111 Blätter, gebunden in Halblederband mit rotem Rückenschild "S. Cecilia", Lederecken und marmoriertem Deckel.[1] Allseitig beschnittenes Bütten (die eingeschobenen Blätter von etwas stärkerer Qualität), 10-zeilig rastriert; numerierte Lagenordnung; Wasserzeichen: Lilie in Doppelkreis, passim; Querformat: 206 : 277 mm. (Einband 212 : 275 mm.); braunschwarze Tinte, Korrekturen, Überklebungen.[2, 3]

Inhalt und Lagenordnung (dünne Linien = Costanzis Arien):

1

1 : Titel

2 - 4: Beginn 7 (3), oben "*Introduzione*", vorne Instrumentation "*Trombe | Trombe | Violini et Arbusè | Timpano*". "*Presto*"

4: Schluß der Ouvertüre, unten auf den leeren Systemen Stimmangaben "*S. Cecilia Soprano*", "*Nutrice Soprano*", "*Almachio Contraalto*", "*Consigliere Tenore*"

5 : Arie Almachio "*A disputto del mio core...*"

5 - 8: Rezitativ Almachio, Consigliere

9 - 11: Arie Consigliere "*È del pregio è posan...*"

12 : Rez. und Arie Nutrice "*Tu dai nome di Constanza...*" (Beginn)

13-16: Costanzi: Arie Nutrice "Tu dai nome..."

2

17 : (Schluß)

18 : Rez. Cecilia, Nutrice

19-24: Costanzi: Arie Cecilia "Questo solo..."

25-26: leer

27 : Arie Cecilia "*Questo solo e quell ardore...*"

28 - 29: Rez. Nutrice, Cecilia

30 : Arie Cecilia "*Esca pura del foco mio...*" (Beginn)

31-36: Costanzi: Arie Cecilia "Esca pura..."

37-38: leer

39 - 41: (Fortsetzung und Schluß)

41 - 42: Rez. Nutrice

43-49: Costanzi: Arie Nutrice "La Primavera..."

50 : leer

21

51 - 54: Arie der Nutrice *"La Primavera quando ritorna..."*
am Schluß *"Volti sub [ito] finito l'intercalare"*

55 - 57: Alternativarie auf denselben Text

58 - 59: Rez. Nutrice, Consigliere

59 - 60: Arie Consigliere *"Fin che giova il pensimento..."*

3

60 - 61: Rez. Nutrice, Consigliere

62 - 65: Duett Nutrice, Consigliere *"Il cielo l'impero..."*

66 : Ritornello

66 - 68: Rez. Almachio

68 : Arie Cecilia *"Quanto invidio quella morte..."* (Beginn)

69-75 : Costanzi: Arie Cecilia "Quanto invidio..."

76 : leer

4

77 - 78: (Schluß)

78 - 81: Rez. Almachio, Cecilia

81 - 83: Arie Cecilia *"Odo il Lazio, odo le sfere..."*
am Schluß: *"Fine del p.º Atto"*

5

84 - 88: *"Atto secondo. Scena p.ª"*
Rez. Cecilia

88 : Arie Cecilia *"Stringeran, stringeran co' fieri artigli..."* (Beginn)

89-92: Costanzi: Arie Cecilia "Stringeran..."

93 - 97: (Schluß)

6

97 - 98: Rez. Nutrice, Cecilia

99-101: Duett Cecilia, Nutrice *"Ecco, il parto..."*
"Fine della p.ª parte"

102-104: leer

7

105-106: *"Parte seconda"*
Arie Almachio *"Combattuto questo core..."*

107-111: Rez. Almachio, Consigliere

8

111-114: Arie Consigliere *"La prudenza del siede..."*

114-117: Rez. Almachio, Cecilia

117-120: Duett Almachio, Cecilia *"Non e solo mal qu'io pavento..."*

120-121: Rez. Almachio

9

121-122: Aria Almachio *"Speranza, m'impossibile..."* (Beginn)

123-125: Costanzi: Aria Almachio "Speranza..."

126 : leer

22

127 : (Schluß)

128 : Rez. Nutrice, Cecilia
Arie Cecilia *"Voli il mio pie..."* (Beginn)

129-134: Costanzi: Arie Cecilia "Voli..."

135-136: leer

137-139: (Schluß)
Rez. Nutrice

140 : Arie Nutrice *"Degl' Astri in vendetta..."* (Beginn)

141-145: Costanzi: Arie Nutrice "Degl'-Astri..."

146-148: leer

10 149-151: (Schluß)

151-153: Rez. Consigliere

154 : Arie Consigliere *"erra l'uomo allor que crede..."* (Beginn)

155-157: Costanzi: Arie Consigliere "erra..."

158 : leer

159-161: (Schluß)

11 161-167: Rez. Consigliere, Cecilia, Nutrice

12 167-170: Arie Cecilia *"Credo, Spero, Amo..."*

170-173: Rez. Nutrice, Cecilia

174 : Arie Almachio *"Piu que bramo trovar pace..."* (Beginn)

175-178: Costanzi: Arie Almochio "Piu che bramo..."

179-180: (Schluß)

13 180-181: Rez. Almachio, Consigliere

182 : Arie Consigliere *"ella sembra qual nave..."* (Beginn)

183-189: Costanzi: Arie Consigliere "ella sembra qual nave..."

190 : leer

191-193: (Schluß)

193-195: Rez. Nutrice, Almachio, Consigliere

14 196-201: Rez. Almachio

201-202: Arie Almachio *"Vi mostrate agl'oochi miei..."* (Beginn)

203-205: Costanzi: Arie Almachio "Vi mostrate..."

206 : leer

15 207-209: (Schluß)

210-212: Rez. Consigliere, Nutrice

23

Erworben bei Auktion Sotheby, London, 15. November 1949, Katalog, Nr. 344 ← Miss Winifred Lockey Hill ← Mr. W.E. Hill 1918, bei Auktion Sotheby, London, 14. Mai 1918, Katalog, Nr. 319 ← Earl of Aylesford ← . . .

[1] Auf der Innenseite des Deckels mit Rotstift "Ms 473" sowie eingeklebtes Kuvert mit Aufschrift "The property of / the Right Hon. / The Earl of Aylesford / Packington Stall / Warwick / England." Auf dem Rücken ein rundes Bibliotheksschildchen "MC / 24".

[2] Jene Arien, die durch solche von Costanzi ersetzt wurden, wurden kanzelliert.

Fremdeinträge

a) die Generalbaßstimme (Schlüssel und Taktstriche jedoch von Scarlatti)

b) von der Hand eines Kopisten, der zur Zeit der Erstaufführung oder der Wiederaufführung die Stimmen ausschrieb, stammt ein Eintrag auf S. 216

c) vermutlich war es ein anderer Kopist, der Costanzis Arien schrieb. Diese sind jeweils auf der ersten Seite mit der Autorenangabe versehen: "Del Sig[r] Gio: Batta Costanzi"

d) auf Titel ober rechts "Originale".

[3] Lit.: (PAGANO, ROBERT, und LINO BIANCHI. Alessandro Scarlatti. Catalogo generale delle opere. Turin 1972, S. 505: Uraufführung in Rom, Quaresima 1708, nur das Libretto erschien gedruckt ebenda bei Ant. de' Rossi) Das Werk war praktisch verschollen; Dent sah zwar die Partitur, jedoch erst nach Erscheinen seiner Biographie (DENT, E.J. A'S'. London 1905).

Wie die eingeschobenen Arien beweisen, wurde das Werk einige Jahrzehnte nach der Uraufführung wiederaufgeführt und zu diesem Zwecke in vorliegender Weise modernisiert.

BACH, JOHANN SEBASTIAN (1685-1750)

[Aus der Kantate 'Herr Gott, dich loben alle wir' BWV 130, Nr. 3 in Neufassung:] *Aria sub signo* * ["Der alte Drache brennt vor Neid..." für Baß und Orchester] *Viola* [-Stimme]

Orchesterstimme, $\frac{12}{8}$ C-Dur

1 Blatt, lose; bräunliches, festes Papier, links beschnitten; Hochformat 357 : 222 mm.; Wasserzeichen: großes «MA»; braunschwarze Tinte; ohne Korrekturen, mit dynamischen Zeichen.

Seite [I]: 14 Zeilen handrastriert, Beginn der Stimme, unten rechts: "*S. Volti*", Seite [II]: 7 Zeilen handrastriert, auf den obersten zwei der Schluß der Stimme und anschließend: "*Sequitur | Recit.*", die restlichen 5 Zeilen und die übrige Seite leer. Undatiert,[1] unsigniert.[2]

Erworben 1937 von Firma Hinterberger, Wien, Katalog 18, [1937] Nr. 9, vorher Katalog IX, [1936] Nr. 233 ← Stefan Zweig, Salzburg ← … ← Firma Gilhofer, Wien, Katalog 113, ca. 1913, Nr. 14 ← … ← Auktion Henrici, Berlin, Katalog 1, 1910, Nr. 417 ← …

[1] Zufolge DÜRR, ALFRED. Zur Chronologie der Leipziger Vokalwerke J. S. Bachs [= Bach-Jahrbuch XLIV 1957], S. 140 war das große MA-Wasserzeichen von 1732-1735 in Gebrauch. Die Wiederaufführung und damit verbundene Umänderung der Kantate dürfte also in dieser Zeit liegen.

[2] Es handelt sich um das autographe Zusatzblatt, das Bach anläßlich der Wiederaufführung der Kantate zusammen mit den Stimmen für die beiden Geigen anfertigte als Ersatz für die anders instrumentierte erste Fassung, bei der der Kopist Christian Gottlob Meißner die Stimmen ausgeschrieben hatte. Die Viola-Stimme der ersten Fassung, bei der an der mit * bezeichneten Stelle unsere Fassung einzusetzen ist, war bis zum Verkauf durch Hinterberger immer in demselben Besitz wie unser Blatt. Noch Hinterberger bezeichnete sie als autograph. — Lit.: Kat. Hinterberger-SCHMIEDER, WOLFGANG. Thematisch-systematisches Verzeichnis der musikalischen Werke von Johann Sebastian Bach. Leipzig 1950, S. 174f — JOHANN SEBASTIAN BACH. Neue Ausgabe sämtlicher Werke. Kassel etc. 1974. Serie I Bd. 30, hrsg. von MARIANNE HELMS, S. 48-54, im kritischen Bericht S. 24, 27-29.

HÄNDEL, GEORG FRIEDRICH (1685-1759)

Klavierbüchlein mit Liedeinträgen

zusammengestellt von einem unbekannten Schreiber in England, enthaltend

a) Klavierbearbeitungen von Instrumentalstücken und Gesangsnummern aus Opern und Oratorien Händels sowie von vereinzelten Stücken anderer Komponisten (mit Namen genannt sind Hasse, Vinci, Geminiani und Gramond)

b) Lieder für Singstimme und bezifferten Baß (Komponisten nicht identifiziert)

mit einem eigenhändigen Eintrag Händels von vier von ihm komponierten Liedern für Singstimme und bezifferten Baß

50 Blätter,[1] Lagenordnung (in der ersten Hälfte mutmaßlich):

ursprünglich in Leder gebunden (Deckel fehlend), später in einen grauen Leinenband eingenäht, der entfernt wurde, Kartondeckel mit Buntpapier der 18. Jh. beklebt; Leinenkassette. Gebräuntes, beschnittenes Bütten (oben kleine Buchstabenverluste), die ersten Lagen mit starken Gebrauchsspuren); Querformat: 227 : 287 mm.; Wasserzeichen: a) Lilie b) Wappen mit diagonalem Doppelsteg (von links oben nach rechts unten); Schreiber A: schwarze Tinte, senkrechte Schriftachse, steifer Duktus, dichtes Notenbild; Schreiber B (Händel): braunschwarze Tinte, leicht nach rechts geneigte Schriftachse, gewölbte Notenhälse, lockeres Notenbild.

Durchwegs 10-zeilig rastriert mit roten senkrechten Begrenzungslinien auf beiden Seiten, meisten 5 × 2. Undatiert, unsigniert.[2]

Inhalt

32	"Andante larghetto / in / Saul"
33	"Coro, apres l'Ouverture de l'Opera Julius Caesar."
34	"Rinaldo" / "allegro"
35	"nell' Opera Justin" / "allegro"
36-38	leer
39-40	"Air pour le Clavecin Sr Vinci."
41-42	"Allegro"
43-44	"Air"
45	"Allegro"
46	"Menuet"
47	leer
48-49	"Menuet"
50-51	"minuetto", später "minuetto 2do"
51-53	"Allegro Tempo di minuetto"
54-57	"Allegro"
58	"Menuet"
59	leer
60-61	"Menuet", später "Var:"
62-63	"Fantasia / Vivace".
64-65	"Geminiani: / Menuet"

Händel
(Schreiber B)

66	oben *"Chanson"*, ganze Komposition auf einer Seite, 4 × 2 (2), ¢ d-moll, 26 Takte, *"Sans y penser a Tirli j'ay scu plaire..."*. Von anderer Hand ist eine englische Übersetzung unmittelbar unter den Originaltext geschrieben.
67	oben *"Chanson"*, ganze Komposition auf den ersten vier Zeilen, 2 × 2 (6), ¢ e-moll, 8 Takte; *"quand on suit l'amoureuse Loix..."*
68	oben *"Air en Langue Allemande"*, Beginn, 5 × 2, $\frac{3}{4}$ h-moll, *"der Mund spricht zwar gezwungen nein..."*. Von anderer Hand ist eine lateinische Umschrift jeweils über die Systeme eingetragen.
69	Schluß des Lieds, 1 × 2 (8). Total 42 Takte.

	70	oben *"Air en Langue Espagnole"*, vorne *"Largo"*, ganze Komposition, 5 × 2, $\frac{3}{4}$ F-Dur, 34 Takte, *"Dizente mis Ózos..."*
Schreiber A	71	Lied "Andante" / "Belle Iris vous avez deux pomes..."
	72	Lied "Alleg." / "Il est un berger sincere..."
	73	"Minuet"
	74	"Minuet 2ᵉ"
	75-79	"La Poule"
	80-81	Lied "La jeune Iris dans un boccage..." mit 4 Textstrophen
	82-83	Lied "Maman ne grondés pas si fort..." mit 5 Textstrophen
	84-85	Lied "ce n'est plus un mistere..." mit 5 Textstrophen
	86-87	Lied "je n'entends plus..." mit 4 Textstrophen
	88	Lied "Il faut quand on ai-me une fois..." mit 2 Textstrophen
	89	Lied "Un jour dans un verd boccage..." mit 5 Textstrophen
	90-91	"Tambourin / Vif"
	92-93	"Les Soupirs / tendrement"
	94-95	"Musette Rondeau"
	96-97	"La Triomphante"
	98-100	"menuet par Mr Gramond

Erworben durch Heinrich Eisemann bei Auktion Sotheby, London, 13. April 1954, Katalog, Nr. 219 (mit Faksimile des 'Air en langue espagnole')[3] ← ...

---

[1] Bibliothekspaginierung.

[2] Händels Eintrag kann frühestens 1738 stattgefunden haben, da Stücke aus 'Saul' und 'Xerxes' vertreten sind.
Lit.: HICKS, ANTHONY. G. F. Handel (Worklist) [= The New Grove 1980, VII 114-137] S. 127f. Das deutsche Lied ist eine leicht bearbeitete Fassung der Arie des Bellante in Händels erster Oper 'Almira' (Hamburg 1704); siehe Händel, Werke, Bd. 55, Leipzig 1873, S. 40 (dort in c-moll notiert); das spanische Lied ist eine ziemlich abweichende Bearbeitung der letzten Nummer in der Solokantate für Sopran, Guitarre und Baß 'No se emenderá jamás', siehe Händel, Werke, Bd. 52 B, Leipzig 1889, S. 36f. unsere Fassung ist verkürzt; Händel ließ wohl willentlich den B-Teil der da capo Arie weg, da der Raum auf der Seite dafür

fehlte; er schließt am Ende der Seite, ohne Doppelstrich jedoch mit einer Kadenz, den da capo Teil ab, dort wo in der Arie an Stelle der Kadenz die Überleitung zum B-Teil steht.

[3] Dem Manuskript liegt ein fünfseitiger Brief Eisemanns an Bodmer bei (datiert 2. Juni 1954).

Abb.8

GRAUN, CARL HEINRICH (1703/04-1759)

[Rezitativ und Arie aus der Solokantate für Singstimme und Basso Continuo 'Ulisse marito della Penelope' (?)]

Partitur, **C** g-moll, $\frac{3}{4}$ F-Dur, 14 + 90 Takte

2 Blätter, bräunliches Bütten, allseitig beschnitten; Hochformat: 330 : 209 mm.; Wasserzeichen in der Mitte des ersten Blattes: Sechszackiger Stern auf Steg; schwarzbraune Tinte.[1]

14 Zeilen rastriert, 7 × 2. S. [I] vorne: *"Rec:"*, Beginn: *"Degl'insolenti Proci soffrir m'è forza la potenza..."*, Schluß auf dem letzten System; S. [II]: vorne Arienbezeichnung *"Larghetto"*, Beginn: *"Godo di mille cori..."*; S. [IV]: Zeile 7/8 Schluß des Mittelteils der Arie, dann *"Da Capo"*. Undatiert, unsigniert.[2]

Erworben 1937 von Firma Hinterberger, Wien, Kat. 18, [1937], Nr. 75, vorher Kat. IX, [1936], Nr. 252 ← Stefan Zweig, Salzburg ← ... ← Aloys Fuchs, Wien, 1819 ← Georg Poelchau, Berlin ← ...

[1] S. [IV] auf Zeile 10-13 mit dunklerer Tinte von anderer Hand vier einzeilige Fassungen einer Koloratur über die Worte "manco di fe" und ähnlich.
Auf S. [IV] unten von der Hand des Autographensammlers Aloys Fuchs: "Ex collectione Autographorum Georgii Poelchau. / 1819."

[2] Lit.: (FREYTAG, WERNER. Graun [= *MGG* V 1956, 703-720], col. 714).

ROUSSEAU, JEAN-JACQUES (1712-1778)

Romance. [für Sopran und Klavierbegleitung, Nr. 62 in den 'Consolations']

Partitur, $\frac{9}{8}$ G-Dur

1 Blatt, lose; Bütten, oben beschnitten, links Falzrand (d.h. untere Hälfte eines halben Doppelblattes); Querformat: 218/220 : 281/288 mm.: Wasserzeichen auf S. [II] am oberen Rand: 2 Zacken (unterer Teil eines Sterns?); schwarzbraune Tinte.

29

S. [I]: 10 handrastrierte Zeilen (5 × 2),[1] ganze Komposition *"Dors mon enfant..."*, auf dem untersten System nach dem Schluß: *"Les couplets se trouveront dans le | recueil de M. Berquin"*. S. [II]: leer. Ganz unten datiert "le 12 avril 1777",[2] unsigniert.[3]

Erworben 1937 von Firma Hinterberger, Wien, Katalog 18 [1937], Nr. 199, vorher Katalog IX [1936], Nr. 280, mit Faksimile ← Stefan Zweig, Salzburg ← ...

[1] Die Begleitung ist nur als Baßlinie notiert.

[2] vermutlich nicht von Rousseaus Hand.

[3] Lit.: (HEARTZ, DANIEL. J.-J. Rousseau [= The New Grove XVI 1980, 270-273]) — Samuel Baud-Bovy, Genf, war so freundlich und identifizierte für uns die Komposition: Es handelt sich um das Lied, das als 'Second air sur la Romance de M. Berquin' posthum in Rousseau's Liedersammlung erschien 'Les consolations des misères de ma vie ou recueil d'airs romances et duos', Paris, de Roullede de la Chevardière, 1781. Die vorliegende Fassung weist Verbesserungen gegenüber der Druckfassung auf. — Berquin war ein berühmter französischer Kinderbuchautor.

KREBS, JOHANN LUDWIG (1713-1780)

Wie schön leuchtet der Morgenstern, [Choralbearbeitung] *a Hautbois d'Amour & Clavier | et Pedale, di | G. L. Krebs* [Fragment, vorausgehend der Schluß der Choralbearbeitung von "Freu dich sehr, o meine Seele"]

Partitur, $\frac{3}{4}$ E-Dur, 35 Takte, bzw. ¢ G-Dur, 20^1/$_2$ Takte

1 Blatte, lose [1]; braunes Bütten, beschnitten, ursprünglich Kreuzfaltung; Hochformat 334/337 : 204/206 mm.; schwarzbraune Tinte.[2]

20 Zeilen handrastriert, 5 × 4. S. 2: Schluß der Choralbearbeitung ["Freu dich sehr, o meine Seele"], unten: *"S.D. Gloria"*, S. 3: Beginn der Choralbearbeitung ["Wie schön leuchtet der Morgenstern"], mit zwei Diagonalstrichen kanzelliert. Undatiert.[3]

Erworben 1937 von Firma Hinterberger, Wien, Katalog 18, [1937], Nr. 127, vorher Katalog IX, [1936], Nr. 260 ← Stefan Zweig, Salzburg ← ... ← Slg. Speyer ← ...

[1] Paginierung von fremder Hand.

[2] Von fremder, zeitgenössischer Hand auf der Vorderseite oben rechts "2", auf der Rückseite oben links "3" sowie ebenda unter dem Titel links "in Dis transp: con Oboë ord: F ♯".

[3] In den Hinterberger-Katalogen wurde unter der jeweils vorausgehenden Nummer ein anderes Fragment aus derselben Sammlung angeboten, gleichfalls signiert und zusätzlich datiert mit *"4. octob: 1746"*.

HAYDN, JOSEPH (1732-1809)

[Skizzen zum Menuett und Trio der Sinfonie in D-Dur, Hob. I:86]

1 Doppelblatt, lose, neuere Foliierung; hellbraunes Bütten, ursprünglich Kreuzfaltung; Querformat: 230: ca. 315 mm.; Wasserzeichen auf Blatt 2^r am oberen Rand: unterster Teil von 3 Halbmonden nach rechts geöffnet, Blatt 2^v am oberen Rand: unterster Teil von 1 oder 2 Buchstaben; schwarzbraune Tinte.[1]

10-zeilig handrastriert. Bl. 1^r: leer; Bl. 1^v: Skizzen zum Menuett, 2, 1 auf 3 Zeilen: 2 × 2, 2, (2); Bl.. 2^r: Skizzen zum Trio, 2, 5 × 1 kanzelliert und kommentiert: *"Ninsch"* [= nichts], dann 3 × 1; Bl. 2^v: leer. Undatiert, unsigniert.[2]

Erworben 1937 von Firma Hinterberger, Wien, Katalog 18, [1937], Nr. 85, vorher Katalog IX, [1936], Nr. 253 ← Stefan Zweig, Salzburg ← ... ← Otto Leßmann, 1875 ← Dr. Julius Alsleben ← Therese von Barnim, geborene Elßler, Gemahlin des Prinzen Adalbert von Preußen ← Chordirektor Elßler (Bruder der Vorigen und Patenkind Haydns) ← Haydns Diener und Kopist Johann F. Elßler (Vater der Vorigen) ← Nachlaß Haydn

[1] Auf Bl. 1^r oben rechts Eintrag zweier Vorbesitzer: "Aus dem Nachlaße Joseph Haydn's. / Sein Copist Elszler vererbte / dieses Blatt auf seinen Sohn, den verstor-/benen Chordirector der hiesigen / Kgl. Oper Elszler; nach dessen / Tode ging es mit anderen / Blättern auf Frau Therese von Barnim, / Gemahlin des Prinzen Adalbert / v. Preussen, geb. Elszler, Schwester / des Chordirector Elszler über, von / welcher ich es zum Geschenk / erhielt. / Dr. Alsleben." Darunter: "Von Dr. Alsleben als Geschenk in / meinen Besitz gekommen. / 1875 Otto Leßmann."

Höchstwahrscheinlich war das Skizzenmaterial zur ganzen Sinfonie in Alslebens Besitz und wurde erst durch ihn aufgeteilt. Zumindest wissen wir dies von einem Skizzenblatt zum ersten Satz, das dieselbe Vorgeschichte hat und Alslebens Eintrag enthält. Es ging durch die Heyersche Sammlung und befindet sich seit 1961 in amerikanischem Privatbesitz (siehe FEDER, GEORG. Joseph Haydns Skizzen und Entwürfe. Übersicht der Manuskripte, Werkregister, Literatur- und Ausgabenverzeichnis [=Fontes artis musicae XXVI 1979, S. 179 (nr. 37).

[2] Lit.: HOBOKEN, ANTHONY VAN. Joseph Haydn. Thematisch-bibliographisches Werkverzeichnis. Mainz 1957, Bd. I, S. 154: unsere Skizze, erwähnt. Entstehungszeit 1786. — Transkription der Skizze aufgrund der von Hoboken in Zweigs Sammlung angefertigten Photokopie in Joseph Haydn. Kritische Gesamtausgabe. Serie I Bd. 9 Symphonien No. 82-87, Hrsg. von H. C. ROBBINS LANDON. Boston & Wien 1950, S. 336. Die Photokopien befinden sich im Hobokenarchiv Wien. — FEDER (siehe oben Anmerkung 1) S. 177 (Nr. 28).

GLUCK, CHRISTOPH WILLIBALD VON (1714-1787)

[Fragment aus der Oper 'Echo et Narcisse', Wotq. 47, Schlußteil des letzten Aktes]

Partitur (Urschrift)

Untere Hälfte eines Blattes,[1] lose; gelbliches, mittelstarkes Bütten, Risse repariert, ursprünglich 3 Falten, oben und links beschnitten; Querformat (d.i. halbes Hochformat): 160 : 230 mm.; Wasserzeichen in der oberen rechten Ecke der Seite 406 am Rand emporlaufend und geöffnet: unterer Teil von 3 Halbmonden, darunter 2 Buchstaben; schwarzbraune Tinte.[2]

8 Zeilen rastriert. S. [405]: Schluß eines Orchesterstücks ($\frac{3}{4}$ C-Dur), oben die untersten zwei Zeilen eines mehrzeiligen Partitursystems, 9 Takte, darunter auf Zeile 3-8 acht Takte, es folgt der Beginn eines neuen Abschnitts mit einem Takt ($\frac{3}{4}$ A-Dur), ganz unten der Vermerk *"N: B on reprend la Chiaccone à la 191 mesure jusqu'à la fin"*; S. 406: Fortsetzung von S. 405, oben die untersten zwei Zeilen eines mehrzeiligen Partitursystems, 7 Takte darunter Schluß auf Zeile 3-8 vier Takte, dann in der Mitte auf den leeren Systemen *"L'Air de la Nymphe / après"*, hierauf Beginn des Louré et Lentement aus dem Air de Ballet final ($\frac{6}{8}$ C-Dur) $2^1/_2$ Takte mit Schlußstrich und den Vermerken *"etc."* und *"fin"*. Undatiert, unsigniert.[3]

Erworben April 1953 von Firma W. Benjamin, New York, Katalog 'The Collector', Nr. B 337 ← ...[4]

[1] Auf dem verso von fremder Hand paginiert "406".

[2] Von fremder Hand Eintrag unten auf S. 406 (auf dem Kopf): "Fragments d'Echo et / Narcisse, de la main du / chevalier Gluck".

[3] Lit.: (WOTQUENNE, ALFRED. Catalogue thématique des œuvres de Chr. W. v. Gluck. Leipzig 1904, S. 151 — Christoph Willibald Gluck. Sämtliche Werke. Abt. I Bd. 10: Echo et Narcisse. Hrsg. von RUDOLF GERBER. Kassel 1953, S. v-xi).

Von Glucks letzter Oper 'Echo et Narcisse' sind bisher keine Autographen bekannt geworden. Die Uraufführung der ersten Fassung war für den 21. September 1779 vorgesehen, fand aber erst am 24. September statt und war ein so großer Mißerfolg, daß Gluck sich entschloß, Paris endgültig zu verlassen und nach Wien zu ziehen. Auf Betreiben des Librettisten, der ihm ein umgearbeitetes Textbuch schickte, machte er sich an eine Revision. Diese zweite Fassung wurde am 8. August 1780 in Paris aufgeführt. Eine Drucklegung der ersten Fassung blieb in den Anfängen stecken, die zweite jedoch kam, von Gluck selbst sorgfältig redigiert, zustande und erschien noch vor der Aufführung im Frühjahr 1780 bei Deslauriers in Paris. Unser Fragment dürfte aus der bisher ungreifbar gebliebenen ersten Fassung stammen, da die Musik abgesehen vom Zitat des Louré-Satzes (bei dem Gerber übrigens die Autorschaft Glucks bezweifelt) nicht in der zweiten Fassung vorkommt.

[4] Als Vorbesitzer kommt die Sammlung Keffer in Pennsylvania in Frage.

MOZART, WOLFGANG AMADEUS (1756-1791)

Terzett. [für Sopran, Tenor und Baß und Streichquartett "Bandelterzett", KV 441, Text vom Komponisten]

Partiturfragment,[1] ₵ G-Dur

2 Blätter (ursprünglich ein Doppelblatt) an der oberen rechten Ecke aneinander geleimt, lose in Umschlag;[2] braunes Bütten, oberer und linker Rand beschnitten, ursprünglich Falt in der Mitte; Querformat: 237/240 : 320 mm.; kein Wasserzeichen; braune Tinte.[3]

16 Zeilen rastriert, (1) 2 × 7 (1). S. [I] oben: Titel, vorne: *"Andante sostenuto"*, Instrumentation: *"Violini | Viola | Constantz | Mozart | Jacquin | Basso:"*, Beginn der Komposition (Takt 1-18), ab Takt 13 d.h. vom Einsatz der Singstimmen an *("Liebes Mandel, wo is's Bandel...")* sind die oberen Streicherstimmen nicht ausgeführt; S. [II]: leer; S. [III/IV] (d.h. ein Einlageblatt) fehlen; S. [V]: Schluß mit den letzten sechs Takten auf dem obersten System à 4 Zeilen (Singstimmen + Baß); S. [VI]: leer. Undatiert, unsigniert.[4]

Erworben 1937 von Firma Hinterberger, Wien, Katalog 18, [1937], Nr. 170, vorher Kat. IX, [1936], Nr. 274 ← Ștefan Zweig, Salzburg ← Auktion Liepmannssohn, Berlin, 16./17. Nov. 1928, Katalog 52, Nr. 421 ← ... ← Dr. Heinrich Henkel, Frankfurt/M., wohl 1887 ← C. A. André Erben, 1887 ← C. A. André, Frankfurt, 1842 ← Joh. Anton André, 1800 ← Witwe Mozart, Wien 1791 ← Komponist

[1] Das mittlere Blatt befindet sich in amerikanischem Privatbesitz in Ohio laut Köchel-Verzeichnis 6. Auflage (siehe Anmerkung 4).

[2] Der Umschlag (246: ca. 330 mm.) weist auf der Vorderseite folgende Einträge auf:

a) von der Hand C.A. Andrés, links: "No 441 / Mozart's Handschrift" rechts "Serie VII, 17 [der alten Gesamtausgabe]", in der Mitte "Terzett, Das Bandel "Liebes Mandel" / Für die Mozartausgabe benutzt von G. Nottebohm in Wien" unten links signiert "Carl Aug. André in Frankfurt ᵃ/M.". Nachträglich darunter "Guillet Platz No 35".

b) rechts unten mit schwarzer Tinte: "nach dem Tode C. A. André's / von dessen Neffen geschenkt erhalten / Dr. H. Henckel".

[3] Fremdeinträge von verschiedenen Händen auf S. [I]

a) rechts oben auf der Höhe des ersten Systems mit braunschwarzer Tinte: "Wien 1783".

b) oben in der Mitte von der Hand Konstanzes zweitem Ehemann G. N. von Nissen: "Vielleicht ist auf diesen beyden Blättern einige / Veränderung in der bekannten Composition" und ganz rechts "Mozarts Handschrift".

c) Blaustifteintrag oben rechts gelöscht.

d) Mit schwarzer Tinte unten rechts: "Die Echtheit der Handschrift von W. A. Mozart / bestätiget Julius André" mit Andrés Siegel.

e) Mit Bleistift links oben von späterer Hand: "In Köchel's Verz. Nr. 441. / 2 Blätter oben zusammenhängend".

[4] Lit.: Wolfgang Amadeus Mozart. Neue Ausgabe sämtlicher Werke. Serie III Werkgruppe 9, hrsg. v. C.-G. STELLAN MÖRNER. Kassel etc. 1971. Abdruck der Komposition aufgrund einer zeitgenössischen Abschrift: S. 5-18; zur Quellenlage S. ixf. Im Anhang sind außerdem zwei autographe Fragmente herausgegeben, das

erste ist eine Skizze der Singstimmen, das zweite unsere S. [I], jedoch mit kleinen Fehlern (die Bindebögen und dynamischen Bezeichnungen sind im Original vollständiger als in der Ausgabe und der Text weicht geringfügig ab). — Ludwig Ritter Von Köchel. Chronologisch-thematisches Verzeichnis sämtlicher Tonwerke Wolfgang Amadé Mozarts. 6. Aufl. Wiesbaden 1964, S. 475f. — Was sich auf dem fehlenden Blatt in amerikanischem Privatbesitz befindet, ist noch ungeklärt. Eine vollständige Partitur der Takte 19-83 dürfte wohl eher ein Doppelblatt beanspruchen. Unsere 6 Schlußtakte können nicht als endgültige Partitur angesprochen werden, da die Streicherstimmen fehlen; dagegen könnte es sich beim Anfang tatsächlich um die endgültige Partitur handeln, indem Mozart der Eile wegen die Streicherstimmen über dem Text nicht mehr ausschrieb, weil sie exakt mit der Einleitung übereinstimmen.

MOZART, WOLFGANG AMADEUS

Quintetto [für 2 Violinen, 2 Bratschen und Cello in D-Dur, KV 593]

Partitur (Urschrift und Druckvorlage), $\frac{3}{4}$ D-Dur

10 hintereinander angeordnete Doppelblätter, geheftet in Buntpapierumschlag mit Maroquinetikette,[1] in Buchkassette aus marmoriertem Kalbsleder;[2] Büttenpapier; Querformat: ca. 230: 315 mm.; Wasserzeichen: 6 Doppelblätter lassen sich dreimal zum Bogenmuster «$^{CS}_{C}$» + «REAL» mit drei Halbmonden darüber zusammenstellen, 4 Doppelblätter zweimal zum Bogenmuster «PS» + 3 Halbmonde; schwarzbraune und hellbraune Tinte, einige Korrekturen.[3]

12 Zeilen handrastriert. Bl. 1ʳ - 8ʳ: *"Larghetto (– Allegro)"*; Bl. 8ᵛ: leer; Bl. 9ʳ - 12ᵛ: *"Adagio"*; Bl. 13ʳ - 13ᵛ: *"Menuetto: Allegretto"*; Bl. 14ʳ - 14ᵛ: *"Trio"*; Bl. 15ʳ - 20ᵛ: *"Allegro"*. Undatiert, unsigniert.[4]

Erworben bei Auktion Stargardt, Marburg, 18./19. Feb. 1969, Katalog 588, Nr. 678, mit Dokumentation (siehe Anhang hiernach) ← Olga Hirsch, Cambridge ← Paul Hirsch, Frankfurt/M., 1912 ← Firma Frank T. Sabin, London, 1911/12 [5] ← G. B. Davy, England, 1879 ← ... ← Versteigerung in London 1847 ← Johann Andreas Stumpff, Harfenmacher, London, 1814 ← J. A. André, Offenbach, um 1800 ← Konstanze Mozart ← Komponist

[1] Auf der Innenseite des Umschlags "A quintetto in D minor (gestrichen darüber: major) // J. A. Stumpff / Great Portlandstreet". Dies läßt den Schluß zu, daß der Interimsband und die Kassette von Stumpff angefertigt wurden.

[2] Lederschild auf dem Kassettendeckel "W. A. Mozart / Quintett in D. Major / Original M. S.", derselbe Text auf dem Rücken das ursprüngliche "minor" überklebt.

[3] Fremdeinträge

a) im Finale sind von der Hand des Verlagsbearbeiters beim Erstverleger Artaria jeweils die chromatischen Abgänge des Themenkopfs abgeändert worden; erst die neue Mozart-Gesamtausgabe bringt die richtige Fassung. Ferner Bl. 1^r unten ganz rechts "30 bogen"(?).

b) von der Hand G. N. Nissens, dem zweiten Gatten Konstanze Mozarts: "von Mozart und seine Handschrift" auf der ersten Seite oben rechts.

c) von der Hand Stumpffs auf Blatt 1^r unten rechts "The property of / J. A. Stumpff / London"

d) Foliierung von fremder Hand mit Bleistift, desgleichen Taktnumerierung jeweils am Außenrand jedes Systems mit Bleistift.

[4] Lit.: Kat. Stargardt mit ausführlicher Beschreibung und Faksimiles der Bl. 1^r, 13^r und 15^r. — Wolfgang Amadeus Mozart. Neue Ausgabe sämtlicher Werke. Serie VIII, Werkgruppe 19, Abteilung 1. Hrsg. von Ernst Hess und Ernst Fritz Schmid. Kassel etc. 1967, S. xif: Komponiert Dezember 1790, 113-142 (Druck), sowie Faksimile von Bl. 15^r auf S. xvii. — Deutsch, Otto Erich. Mozart. Die Dokumente seines Lebens. Kassel etc. 1961, S. 427: Konstanze v. Nissen veräußert Autographen ihres ersten Mannes an J. A. André.

[5] Anhang: Mozartiana

Ein Briefkonvolut zur Geschichte des Erwerbs des Quintetts für die Hirsch'sche Sammlung. Zusammengestellt und mit angeschriebenen Umschlägen versehen von Olga Hirsch.

I. "Correspondence Frank T Sabin of 172, new Bond Str London W. with Paul Hirsch Beethovenstrasse 8 Frankfurt/Main from 19. II. 1912 to 9. IV. 1912 and 1 letter from Louis Koch 28. III. 1912 nach Daten geordnet von O. H."

1. Angebot Sabins an Hirsch vom 19. II. 1912 von folgenden Autographen: a) Mozarts Quintett KV 593, b) Carl Maria von Webers Oberon-Ouvertüre (Klavierauszug), c) Beethoven: Klaviersonate op. 101, d) Beethoven: Skizzenbuch 1815-1816, e) zweimal fünf Lieder aus den Schottischen Liedern op. 108, α) Nr. 6-9, 10 (= 24) β) Nr. 5-7, 10 und 19. Ferner gehörte mit zum Angebot eine Büste Beethovens angefertigt zu dessen Lebzeiten.

2-19. Verhandlung über Verkaufspreis, Diskussion über die Vorbesitzer der Stücke, Abschluß des Kaufes (Quittung datiert 1. IV. 1912). [Hirsch übernahm jedoch nur das Quintett in seine Sammlung und leitete die übrigen Stücke an Louis Koch weiter.] 12 Originaldokumente (Sabin), 6 Kopien bzw. Belege (Hirsch).

20. Brief von Louis Koch, Frankfurt, an Paul Hirsch vom 28. III. 1912 mit Erwähnung eines Schecks zur Begleichung des Kaufpreises der übernommenen Stücke. [Die ganze Korrespondenz war Georg Kinsky, dem Verfasser des Katalogs der Kochschen Autographensammlung, nicht bekannt, doch war er gleichwohl imstande, die meisten Vorbesitzer zu eruieren. Siehe Kinsky, Georg. Manuskripte, Briefe, Dokumente von Scarlatti bis Stravinsky . . . Stuttgart 1953, Nr. 132 (b), Nr. 65 (c), Nr. 64 (d), Nr. 61/62 (e); ferner Kinsky, Georg, und Hans Halm. Das Werk Beethovens . . . München & Duisburg 1955, unter den entsprechenden opus-Nummern. — Laut Sabin stammen alle Beethovenstücke aus der Sammlung G. B. Davy, Kingussi, Schottland, was im Falle von op. 101 den Angaben in den beiden obigen Katalogen widerspricht.]

II. "Correspondence William E Hill u Son 140 new Bond Street London W with Paul Hirsch Beethovenstr 8 Frankfurt/Main from 16. II. 1912 to 4. IV. 1912"

2 Originale (Hill) und eine Kopie (Hirsch) den Verkauf Sabin — Hirsch betreffend.

III. "Brief von Paul Hirsch 6. IV. 1912 an Professor Dr. Kopfermann Direktor der Musikabteilung der Königl. Bibliothek Berlin"

Kopie. Hirsch teilt dem Adressaten den Erwerb des Quintetts mit und wünscht Auskunft über KV 515, 516 und 614.

Beigelegt ist der Entwurf zum obigen Brief sowie eine zweiseitige Beschreibung des Autographs.

IV. Briefwechsel zwischen Paul Hirsch, Cambridge und Alec H. King, British Museum, London, 5. Februar – 4. März 1940:

4 Originalbriefe (King) und 3 Briefkopien (Hirsch) über Ergebnisse der Forschung an den Quintetten und eigene Beobachtungen.

Abb.12

CIMAROSA, DOMENICO (1749-1801)

"Rondo" [für Singstimme und Orchester, aus der Oper 'Angelica e Medoro']

Partitur, $\frac{2}{4}$ A-Dur, 122 Takte

6 Blätter gebunden in Halbpergamentband mit Pergamentecken,[1] mit rotem Lederschildchen auf dem Deckel "Domenica Cimarosa / "Mentre rendo a te vita" / Rondó / nell' Angelica e Medoro / Autografo"; je ein Vorsatzblatt; vergilbtes Bütten, oben beschnitten; Querformat: ca. 225: ca. 300 mm.; Wasserzeichen: Lilie in Kreis, S. 4 oberer Rand auf dem Kopf (untere Hälfte), S. 7 oberer Rand (untere Hälfte), S. 11 oberer Rand auf dem Kopf (obere Hälfte); braunschwarze Tinte.

10 Zeilen handrastriert (2 × 5). S. 1 oben links: *"Rondó"*, darunter Instrumentation auf den leeren Notenzeilen vor den Schlüsseln: *"VV^{ni}: | Viola | Angelica | Basso"*, etwas rechts davon unter dem Schlüssel: *"And^e Grazioso"*, Beginn der Komposition; S. 2: zweites System: *"Mentre ren-do a te la vita..."*; S. 10: 2. System, Schluß, *"Segue Reci^{vo}:"*; S. [Y] und [Z] leer. Undatiert, unsigniert.[2]

Erworben bei Auktion Parke-Bernet Galleries, New York, 3. Mai 1949, Nr. 21 ← Natale Gallini, Mailand ← . . .

[1] Bleistiftpaginierung von fremder Hand.

[2] Auf S. 1 mit rotbrauner Tinte von fremder Hand "Del Sig. D. Dom.^{co} Cimarosa Nell' Angelica, e Medoro". — Die Komposition, wie die ganze Oper, sind bis heute nicht nachgewiesen mit Ausnahme einer kurzen Notiz über unser Manuskript und seinen Vorbesitzer in TIBALDI CHIESA, MARY. Cimarosa e il suo tempo. [Milano] Garzanti (1939)[3] (1949), S. 329. Sie dürfte dem Handschriftenduktus nach zu schließen aus der Blütezeit stammen. Die bei STIEGER, FRANZ. Opernlexikon [1931]. Tutzing 1975, Bd. I, S. 80 verzeichneten zehn Opern anderer Komponisten mit demselben Titel beruhen in der Mehrzahl auf Metastasios Libretto.

Abb.6

BEETHOVEN, LUDWIG VAN (1770-1827)

[Skizzen zur Klaviersonate op. 28, D-Dur — Finale]

1 Blatt, lose; weißes, allseitig beschnittenes Papier (mit angefalz-
tem grauen, leeren Blatt aus der Zeit); Querformat:
219 : 303 mm.; Wasserzeichen: am oberen Rand von S. [I] die
unteren Drittel von drei Halbmonden nach rechts an Größe
zunehmend, nach links offen. Schwarzbraune Tinte.

12 Zeilen handrastriert. Seite [I]: 4 × 1, 2, 2 × 1, 2, (2), Material
zu Codetta und Coda, Zeile 5/6: "presto", Zeile 8: "Basso". Seite [II]: 1-7, (5), Material zur Codetta. Undatiert, unsigniert.[1]

Erworben 1938 von Firma Laube, Zürich ← . . .

[1] Lit.: SCHMIDT, HANS. Verzeichnis der Skizzen Beethovens [= Beethoven Jahr-
buch VI 1965/68, 7-128] Nr. 325 unsere Skizze. — (KINSKY, GEORG, und HANS
HALM. Das Werk Beethovens. Thematisch-bibliographisches Verzeichnis. München & Duisburg 1955, S. 68-70; Entstehungszeit 1801) — (Beethoven Werke.
Abt. VII Bd. 3, hrsg. v. HANS SCHMIDT. München 1976, S. 31-51.)

BEETHOVEN, LUDWIG VAN

[Skizzen zur Leonorenouvertüre für Orchester, erste Fassung,
op. 138]

1 Blatt, lose; weißes Papier, beschnitten; Querformat: 212/215 :
277/283 mm.; Wasserzeichen S. [I] oberer Rand: untere Hälfte
von 3 Halbmonden, nach rechts kleiner werdend.[1] Schwarze Tinte.[2]

16-zeilig rastriert; drei senkrechte Koordinationsstriche. S. [I]:
durchlaufende Skizze, ein- oder doppelzeilig, Allegrothema,
Exzerpte von Florestans Arie;[3] Seite [II]: leer. Undatiert, unsigniert.

Erworben durch Firma Maggs bei Auktion Sotheby, London,
16. Juli 1957, Katalog, Nr. 519 ← Marquess of Tweedale ← ? ←
italienischer Vorbesitzer ← . . .

[1] Wasserzeichen abgebildet bei TYSON, ALAN. The problem of Beethoven's
"First" Leonore Overture [= JAMS XXVIII '75, 292-334] Fig. 7, S. 312-314: Entstehungszeit ca. erste Hälfte 1807.

[2] Am linken Rand S. [I] quer von fremder Hand mit roter Tinte: "Originale di
Luigi van Beethoven". Auf S. [I] unten Reste eines angeklebten Papiers.

[3] TYSON (siehe oben) S. 299: Handschrift D, und passim, Facsimile Fig. 4 —
Erwähnung der Skizze in SCHMIDT, HANS. op. cit. Nr. 324 — (KINSKY & HALM.
op. cit. S. 187-189 und 418).

Andenken von Matthisson [1] *in Musik gesetzt von LvBthvn* [Lied für Singstimme und Klavier, WoO 136]

Partitur (Urschrift) [2], $\frac{6}{8}$ D-Dur

1 Blatt und 1 Doppelblatt, zusammengenäht; graues, festes Papier ursprünglich mit Mittelfalte; Querformat: 235 : 315 mm.; Wasserzeichen: S. [II] oberer Rand auf dem Kopf «Koten-Schlos» (nur obere Hälfte), S. [III] desgleichen, S. [VI]: Wappen mit diagonalem Streifen (ohne Lilienaufsatz); [3] schwarze Tinte, eine größere Korrektur und eine Ergänzung.

14-zeilig rastriert, 3, (1), 3, (1), 3, 3. S. [I] oben: Titel, vorne: *"Andante | con moto"*, Beginn: *"Ich den-ke dein-in . . ."*, S. [VI]: Schluß auf dem ersten Klaviersystem, die restlichen zehn Zeilen leer. Undatiert. [4]

Erworben bei Auktion Stargardt, Marburg, 4. Juni 1962, Kat. 558, Nr. 626 ← Firma Berès, Paris ← . . .

[1] Ursprünglich *"Mathison"*, dann gestrichen und darunter mit etwas hellerer Tinte *"Matthisson"*.

[2] Schon Kat. Stargardt bemerkt: "offenbart einige Mängel des Erstdrucks (von 1810) und aller auf diesen zurückgehenden späteren Drucke, die nunmehr korrigiert werden können". — Es ist möglich, daß dieses Autograph auch als Druckvorlage diente, jedoch das Korrekturlesen unterblieb, denn auf S. [I] findet sich oben links mit roter Tinte von fremder Hand der Eintrag "4", daneben mit Bleistift "8".

[3] Abgebildet bei TYSON, ALAN. A Reconstruction of the Pastoral Symphony Sketchbook [= Beethoven Studies I, S. 67-96], pl. IV 1a: Wappen, pl. VI 3a: Name.

[4] Lit.: (KINSKY & HALM. op. cit. S. 601: Entstanden 1809).

Melodrama [für Orchester mit gesprochenen Texten, Nr. 12 der Oper 'Fidelio', op. 72]

Partitur (Urschrift und Druckvorlage), [1] $\mathbf{c}$ bzw. $\frac{6}{8}$

2 hintereinander angeordnete Doppelblätter, lose; graues Papier; Hochformat: 405/411 : 270/280 mm.; Wasserzeichen S. [II] und [V] (auf dem Kopf): großes Allianzwappen, S. [III] und [VIII] (auf dem Kopf) «I P M» und Krone. Braune Tinte, spätere Zusätze mit Bleistift.

20-zeilig rastriert; die Partitur ist sehr locker auf die Seiten verteilt, z.B. S. [I]: 5 (4) 5 (6). S. [I]: oben *"Violini Viola Bassi"*, rechts: *"Melodramma"*, Zeile 3: *"Poco Sostenuto"*, Zeile 5: *"Corni*

in Es", Zeile 3 rechts: *"(halb laut) L. Wie kalt | ist es in | diesem"*
(Zeile 11:) *"unterirdischen Gewölbe! ..."*; S. [VII] oben auf den
ersten 4 Zeilen: *"Allo."* ein Takt Musik, dann Text Leonores
und *". . . R. so mache fort! im Arbeiten | wird dir schon warm werden |
Volti subito"*, auf den unteren 10 Zeilen kanzellierter Entwurf zu
den 4 Schlußtakten; S. [VIII]: Auf den obersten 4 Zeilen Schluß
des Melodramas: [Andantino], 4 Takte Musik (Gesamtausgabe:
Ende S. 182), auf der unteren Hälfte der Seite Anweisungen an
den Verleger und den Kopisten Schlemmer betreffend Korrekturen an der bisherigen Partitur. Undatiert, unsigniert.[2]

Erworben durch F. W. Wright bei Auktion Sotheby, London,
11. Juni 1963, Katalog, Nr. 152, mit Faksimile der Seite [I]. ←
Louis Koch Erben, Wildegg und Basel, 1930 ← Louis Koch,
Frankfurt/Main 1927 ← Herr Terestschenko, Baden-Baden ←
Dr. Gustav Jurié, Wien, um 1897 ← . . .

---

[1] Röteleintrag vom Drucker auf S. [I] rechts auf der dritten Zeile: Einkreisung
des Textes der Leonore.

[2] Lit.: KINSKY, GEORG. Katalog der Musikautographen-Sammlung Louis Koch.
Stuttgart 1953, Nr. 59 (ausführliche Beschreibung) — KINSKY & HALM. op. cit.
S. 178-187, besonders 183: Komponiert für die dritte Fassung der Oper; Urauf-
führung und Erstdruck 1814.

BEETHOVEN, LUDWIG VAN

[Skizzen zur Sonate für Hammerklavier, op. 106 — Finale]

1 Doppelblatt, lose; braunes Papier, oberer Rand beschnitten;
Querformat: ca. 239: ca. 313 mm.; Wasserzeichen auf S. [II]/
[III]: 3 Halbmonde mit Gesichtsandeutung (auf dem Kopf ste-
hend), der mittlere, größere im Falz. Braunschwarze Tinte.

16-zeilig rastriert. Skizzen (meist auf dreizeiligen Systemen) in
einem frühen Stadium der Komposition der Fuge, wo noch ein
Triolenmotiv erwogen wird, das in der Endfassung nicht vorkommt. Zahlreiche Streichungen. Undatiert, unsigniert.[1]

Erworben im November 1953 von Firma W. Benjamin, New
York, Katalog, 'The Collector', Nr. B 1046 ← ?[2] ← Herr Heermann, 1. September 1922 ← Firma Leo Liepmannssohn, Berlin[3]
← . . .

---

[1] Unsere Skizze ist erwähnt in SCHMIDT, HANS, op. cit. S. 290-296, Entstehungszeit 1817/18).

[2] Möglicherweise in der Sammlung Edward I. Keffer in Philadelphia.

[3] Dabei: Echtheitsbestätigung in Form eines Briefes des Verkäufers Liepmannssohn an den Käufer Heermann vom 1. September 1922.

Abb.1

BEETHOVEN, LUDWIG VAN

[Skizzen zur Missa Solemnis, op. 123 — Gloria]

1 Blatt, lose; bräunliches Papier, linker und unterer Rand beschnitten, eine Falte mit Loch; Querformat: 236/240: 307/311 mm.; kein Wasserzeichen; Bleistift und dunkelbraune Tinte.[1]

12-zeilig rastriert. Seite [I]: 3, 4 × 2, 1; Beginn des 𝄵 Abschnittes (Alte Gesamtausgabe, Serie 19, S. 81 Poco più Allegro), oben: *"Coda"*, zwischen den ersten drei Zeilen: *"Amen"* Textierungen; Seite [II]: 2 × 2, 3, 2, 1, 2; Fortsetzung, rechts 1./2. Zeile: *"in glo-ria in glo-ria"*, 4./5. Zeile: *"a-men"*. Undatiert, unsigniert.[2]

Erworben durch Firma Eisemann bei Auktion Sotheby, London, 4. Februar 1952, Katalog, Nr. 81 ← Miss K. W. O'Leary ← . . .

[1] In einer ersten Phase wurde die Komposition auf beiden Seiten mit Bleistift entworfen, später brachte Beethoven mit Tinte Ergänzungen an: S. [I] in der rechten Hälfte Zeile 4-12, S. [II] in der linken Hälfte Zeile 1-5 und 7-9.

Auf Seite [I] am linken Rand quer Eintrag von fremder Hand mit schwarzer Tinte "Beethoven / (aus der großen Messe)".

[2] Lit.: Unsere Skizze ist erwähnt in SCHMIDT, HANS. op. cit. Nr. 326 — (KINSKY & HALM. op. cit. S. 359-366; Entstehungszeit 1819-1822).

ZELTER, CARL FRIEDRICH (1758-1832)

Alle für Einen und Einer für Alle. [Lied für Baß-Solo und Männerchor, Text von Pfund]

Partitur, $\frac{2}{4}$ D-Dur, 20 Takte

1 Doppelblatt (rechts gefaltet), lose; graues, dünnes Bütten, oben beschnitten; Querformat: ca. 180: 212/215 mm.; Wasserzeichen a) S. [I] am oberen Rand auf dem Kopf: «Eisenhitte» (?) (obere Hälfte), b) S. [III] am oberen Rand auf dem Kopf: gekrönter Adler (obere Hälfte); schwarzbraune Tinte.[1]

9 Zeilen handrastriert, 3 × 1, 2 × 2, (2). S. [I] oben: Titel, rechts: *"Comp. 27 Xbr 1809."*, vorne: *"Lustig und nicht zu schnell."*, Beginn: *"Den König in der Mitten . . ."*, Schluß auf der 6./7. Zeile; S. [II]-[IV] leer. Unisgniert.[2]

Erworben 1937 von Firma Hinterberger, Wien, Katalog 18, [1937], Nr. 253, vorher Katalog IX, [1936], Nr. 302 ← Stefan Zweig, Salzburg ← ? ← Auktion Nachlaß Heyer III. Teil, Firmen Henrici & Liepmannssohn, Berlin, 29. September 1927, Katalog, Nr. 439 [3] ← Wilhelm Heyer, Köln ← . . .

[1] Von fremder Hand mit Tinte S. [I] unten links "Karl Friedrich Zelter" und oben rechts S. [II] von anderer Hand "Zelter. 1809".

[2] Es handelt sich um ein typisches Produkt für die am 24. Januar 1809 gegründete Liedertafel, cf. KUHLO, HERMANN. Geschichte der Zelterschen Liedertafel von 1809 bis 1909. Berlin Sing-Akademie, 1909, S. 75 und 79. — Ein zweites Autograph des Lieds befindet sich im zweiten Band der Sammlung der Liedertafel-Lieder in der Westberliner Staatsbibliothek unter der Nummer 11 mit dem Titel 'Lied auf den König'; dort ist auch der Textdichter genannt. — Lit.: KINSKY, GEORG. Musikhistorisches Museum von Wilhelm Heyer in Cöln. Katalog IV: Musik-Autographen. Leipzig 1916, Nr. 360 (s. 247).

[3] Wurde dort zusammen mit einem anderen Zelter-Autograph versteigert (Psalm 180 nach Lobwasser, 4 stimmig).

ZELTER, CARL FRIEDRICH

Zwei Entwürfe zu einem Essay über Gluck als Opernreformer (Fragmente)

2 Blätter, lose, beidseitig auf der linken Seitenhälfte beschrieben, auf der rechten Seite Korrekturen; gelbgraues Bütten; Hochformat: ca. 335 : 200/210 mm.; Wasserzeichen: Fisch; braunviolette Tinte.[1]

Fragment a) S. [I] Beginn: *"Gluck nun hat mit modernem Kriticismus dies formale Unwesen abgeworfen..."*, S. [II] Schluß im obersten Viertel: *"...reychliches hors d'euvre"*. Undatiert, unsigniert.

Fragment b) S. [I] Beginn: *"Glucks moderner Kriticismus hat nun dies formelle Unwesen mit einer Art Abscheu abgeworfen..."*, S. [II] Schluß im mittleren Drittel: *"...zuletzt überschriien."* Undatiert,[2] unsigniert.

Erworben bei Auktion Henrici, Berlin, Katalog 85, Januar 1924
← ...

[1] Von fremder Hand rote Ziffern oben rechts auf den Seiten a [I] und b [I].

[2] Das Schriftbild läßt eine Entstehung zwischen 1825 und 1832 vermuten. Fassung b) ist die längere und weist mehr Korrekturen auf.

CHERUBINI, LUIGI (1760-1842)

[Credofragment] *"et homo factus est. Crucifixus etiam pro nobis"* [für Chor und Orchester]

Partitur, $\frac{4}{2}$ bzw. $\frac{3}{4}$ C-Dur, 22 Takte

1 Blatt, lose; schweres gelbliches Bütten, beschnitten, am linken Rand angefalztes Papier; Querformat: 242 : 332 mm.; auf der

recto-Seite (S. 32) ist das rechte Drittel überklebt (235 : 102 mm.); schwarze Tinte.

18 Zeilen handrastriert. S. 32: *"et ho-mo factus est"*, 10 Takte, S. [33]: oben über der ersten Zeile: *"Lent (♩ = 60)"*, *"Crucifixus etiam pro nobis"*, 12 Takte. Undatiert, unsigniert.[1]

Erworben durch Maggs bei Auktion Sotheby, London, 11. Oktober, 1954, Katalog, Nr. 93 ← W. Westley Manning ← ...[2]

---

[1] Seite [33] am rechten Hand quer die Echtheitsbestätigung von Cherubinis Sohn mit schwarzer Tinte: "Je certifie que ceci est bien de l'ecriture / de Cherubini, paroles et musique / C. Cherubini filius".

Ob das Fragment aus jenem Teil des Nachlasses Cherubini stammt, der in dem von Cherubinis Erben zusammengestellten und von Bottée de Toulmon redigierten Verkaufskatalog beschrieben ist, läßt sich nicht ausmachen; jedoch können die vier gedruckten "Messes solennelles" ausgeschlossen werden, vgl. [BOTTÉE DE TOULMON, AUGUSTE]. Notice des manuscrits autographes de la musique composée par ... Cherubini ... Paris 1843. Reprint London 1967.

[2] Es bleibt noch festzustellen, ob das Blatt zu jenem Teil der Versteigerungsware gehörte, der laut Vorwort im Auktionskatalog aus der Sammlung Morrison stammt, die 1917-1919 verkauft wurde.

CHERUBINI, LUIGI

Brief oder Briefentwurf an einen ungenannten Grafen. Am Schluß signiert *"L. Cherubini"* und datiert *"Paris le 3 mai 1811"*.

1 Doppelblatt, lose; dünnes, hellbeiges Briefpapier mit einem Falz in der Mitte; Hochformat: 187 : 112 mm.; Wasserzeichen in der Innenfalte des Doppelblattes «H R» (oder «N R»?); schwarzbraune Tinte.

S. [I]: Anrede *"Monsieur le"* und Beginn: Teilt dem Adressaten mit, daß er die drei Kompositionen sowie einen Begleitbrief durch Monsieur Henri erhalten hat und daß er sie an das königliche Konservatorium überreicht hat. Dieses läßt ihm durch Cherubini danken. Cherubini wehrt das Lob ab, mit dem er vom Adressaten bedacht worden ist und sichert ihm seine Hilfsbereitschaft zu; S. [III]: Schluß mit Datum und Grußformel: *". . . j'ai l'honneur d'être, | Monsieur le Comte, | votre très humble et très obéissant | serviteur. | L. Cherubini"*, S. [IV]: leer.[1]

Erworben durch Maggs bei Auktion Sotheby, London, 11. Oktober 1954, Katalog, Nr. 93 als Beigabe zum Meßfragment (siehe das vorausgehende Autograph) ← W. Westley Manning ← . . .

---

[1] Von fremder Hand mit Rotstift: "verbrenen" und (in deutscher Schrift) "ungelesen".

SPONTINI, GASPARE (1774-1851)

[Übungen im vierstimmigen Kontrapunkt]

4 ineinander gelegte Doppelblätter, geheftet; gelbliches Bütten, oben und rechts beschnitten; Wasserzeichen: «M» in Kreis mit «SM» darunter (obere Hälfte auf dem Kopf am oberen Rand von S. [V] und [VII], untere Hälfte am oberen Rand von S. [XIII] und [XV]); Querformat: 220 : 286/289; braunschwarze Tinte, Rasuren.[1]

12-zeilig rastriert. S. [I]: Schluß einer vorausgegangenen Übung sowie die vollständige erste von sieben Übungen; S. [V]: Ende der sechsten und siebte Übung; S. [VI]-[XVI]: leer. Undatiert,[2] unsigniert.

Erworben bei Auktion Galerie Fischer, Luzern, 19. Juni 1953, Katalog, Nr. 36 ← ...[3]

[1] Von fremder Hand oben rechts auf S. [I] mit Bleistift: "Spontini, Gasparo" und unten rechts Händlereintrag: "36" und "Nr. 112A".

[2] Das Autograph dürfte wohl aus der Zeit von 1793-1795 stammen, als Spontini am Conservatorio della Pietà dei Turchini in Neapel studierte (siehe LIBBY, DENNIS. Gaspare Spontini [= The New Grove XVIII 1980, 16-25], S. 16).

[3] Spontinis Name ist vermutlich von derselben Hand eingetragen worden, die auch auf dem Offenbach-Autograph (siehe S. 62) zu finden ist, welches an derselben Auktion versteigert wurde; der Vorbesitzer könnte daher derselbe gewesen sein.

HOFFMANN, ERNST THEODOR AMADEUS (1776-1822)

[Sechs italienische Duettinen für Sopran und Tenor mit unterlegtem deutschem Text und Begleitung des Pianoforte, Hoffmann-WV 67]

Partitur (Druckvorlage [1]), $\frac{2}{4}$ Es-Dur, ¢ a-moll, $\frac{3}{8}$ ¢ -Dur, ¢ As-Dur, ¢ f-moll, $\frac{6}{8}$ F-Dur

4 Doppelblätter und ein Blatt ⌊__⌋⌊⌊__⌋, lose, paginiert;[2] graugrünes Bütten, randgebräunt und beschnitten; Querformat: 264 : 334/337 mm.; Wasserzeichen: Posthorn mit Balken darunter und m-förmiger Girlande, Teile auf S. [1], 3, 9, 11 und 14; schwarze Tinte.

12-zeilig rastriert mit Mehrfachrastral, meist 3 × 4 beschrieben. S. [1]: leer; S. 2 (−4 erstes System): "Duettino I. | Poco Adagio", Instrumentation: "Soprano | Tenore | Pianoforte", Beginn: "(Sotto voce)", Ombre a-me-ne ..."; S. 4 (−7): "Duettino II | Allegro agitato", Beginn auf Zeile 7ff (2. System): "Dove sei mio ca-ro be-ne ..."; S. 8 (−9, 3. System): "Duettino III | Tempo giusto",

Beginn: *"Vicino a quel ciglio . . ."*; S. 10 (–12 oberstes System):
"Duettino IV | Adagio e con molto espressione", Beginn: *"Vi-ver non
potro mai . . ."*; S. 12 Mitte (–16 mittleres System): *"Duetti-
no VI³ | Allegro agitato"*, Beginn des Textes auf S. 13: *"Ah che
mi manca l'anima" . . ."*; S. 17 (–18 mittleres System): *"Duetti-
no V⁴ | Tempo giocoso"*, Beginn: *"Vicino a te ben mio . . ."*. Unda-
tiert, unsigniert.⁵

Erworben 1937 von Firma Hinterberger, Wien, Katalog 18,
[1937], Nr. 98, vorher Katalog IX, [1936], Nr. 257, mit Faksimile
S. 2 ← Stefan Zweig, Salzburg ← . . . ← A. Schlesinger, Berlin,
1818 ← Komponist.

---

¹ Oben auf S. [1] von fremder Hand mit Bleistift "Hoffmann", unten mit Tinte
die Platten-Nummer "588", Bleistiftziffern in der Partitur.

² teilweise mit Tinte, teilweise mit Bleistift.

³ S. 12 Mitte: Hoffmann schrieb ursprünglich *"Duettino V."*; er oder der Druk-
ker fügte nachträglich eine *"I"* (= VI) mit Bleistift hinzu.

⁴ S. 17: Hoffmann schrieb ursprünglich *"Duettino VI"*; er oder der Drucker
strich später die Zahl mit Bleistift durch und schrieb daneben *"V"*.

⁵ Lit.: ALLROGGEN, GERHARD. E.T.A. Hoffmanns Kompositionen. Regensburg
1970 [= Studien zur Musikgeschichte des 19. Jahrhunderts XVI], S, 101-103:
Entstanden Juli/August 1812. Erstdruck bei Schlesinger im Januar 1819, Platten-
Nummer 588.

WEBER, CARL MARIA VON (1786-1826)

*Grand Pottpourri | pour | le Violonzelle. | & Grand Orchestre |
composée par | Charles Marie B[aron]. de Weber.* [op. 20 JWV 64]

Partitur (Druckvorlage),¹ **¢** D-Dur

14 Doppelblätter, 3 Einzelblätter: Ⅴ Ⅴ Ⅴ Ⅴ Ⅴ Ⅴ Ⅴ Ⅴ Ⅴ ,
gebunden in Pappband (Rücken fehlt) mit marmorierten Deckeln
handschriftlich betitelt: "Grand Potpourri | pour violoncelle |
C. M. v. Weber", in grüner Leinenkassette mit Rückenschild:
"Weber. Grand Pottpourri."; allseitig beschnittenes starkes Büt-
ten;² Querformat: 225 : 287 mm.; jeweils am oberen Rand Was-
serzeichen a) Herzblatt auf umgekehrter Ziffer 4 (unterer Teil):
S. 3, 37, 49, 57, (oberer Teil auf dem Kopf): S. 25 und 45, b)
Kreuz mit offenen Enden: S. 3, c) Ziffern und Buchstaben
(«III S» oder ähnlich) unterer Teil: S. 27, 36, 51, 59; braun-
schwarze Tinte, Bleistiftzusätze.³

12-zeilig handrastriert. S. 1: Titel, nach *"composée"* später von
Weber eingeschoben: *"e dédié a son Ami Graff. Professeur de
Violoncelle | au Service de sa Majesté le Roi de Wirtemberg."* und ganz
unten: *"comencé le 18. Decembre."*; S. 2 vorne: *"Maestoso."*, links
Instrumentation: *"Violoncello | Violini | Viole | Flauti | Oboi |*

Clarinetti | in C | Corni | in F | Fagotti | Trombe in D | Timpani | Bassi", Beginn der Komposition; S. 12: [attacca] *"Andante"*; S. 28: *"Allegro"*; S. 39: 5 Takte kanzelliert, dann: *"Finale Allo:"*; S. 61: Schluß, seitlich am rechten Rand: *"composta per il mio amico Graff. e Finita il 31ᵐᵒ Decembre 1808. | Stuttgarde."* [4]

Erworben bei Auktion Schumann, Zürich, 14. Sept. 1950, Katalog, Nr. 154 ← Caesar von Arx, Solothurn ← ... ← Verlag Simrock, Berlin, 1870 ← Erstverleger Simrock, Bonn, vor 1824 ← Komponist

[1] Röteleinträge des Druckers.

[2] Bleistift und Tintenpaginierung teilweise durch Blattbeschneidung verloren.

[3] Jähns studierte das Autograph bei Simrock für sein Weber-Verzeichnis und trug auf der Innenseite des Vorderdeckels ein: "Der Inhalt des folgenden Manuskripts ist in feiner Tintenschrift / durchaus von Carl Maria von Webers Hand. / F. W. Jähns. / K. M. Dir. in Berlin."

[4] Lit.: JÄHNS, F. W. Carl Maria von Weber in seinen Werken. Chronologisch-thematisches Verzeichnis ... Berlin 1871, Nr. 64: Erstdruck um oder vor 1824. Das Wort "comencé" unten auf S. 1 hält Jähns für nicht-autograph. Kleine Abweichungen in der Lesart.

SCHUBERT, FRANZ (1797-1828)

Die Erwartung [Lied für Singstimme und Klavier, Text von Friedrich Schiller, D. 159 (= op. posth. 116), Erste Fassung]

Partitur (Urschrift), 𝄴 B-Dur

4 Doppelblätter, je zwei ineinander gelegt, lose; spätere Paginierung mit Bleistift; graubraunes Bütten, oben beschnitten; Hochformat: ca. 315: ca. 240 mm.; braunschwarze Tinte, zahlreiche Korrekturen.[1]

12-zeilig rastriert, 4 × 3. S. 1 oben: Titel, rechts: *May 1816 | Franz Schubert mpia"*, vorne: *"Langsam"*, Instrumentation: *"Singst. | Piano- | forte"*, Beginn: *"Hör ich das Pförtchen nicht gehen?..."*; S. 16: Schluß.[2]

Erworben 1936/37 von Firma Hinterberger, Wien, Katalog IX [1936], Nr. 287 ← Stefan Zweig, Salzburg, erworben bei Auktion Henrici & Liepmannssohn, Berlin, 23. Februar 1928, Katalog, Nr. 311 ← Wilhelm Heyer, Köln, erworben bei Auktion Boerner, Leipzig, 8./9. Mai 1908, Katalog XCII, Nr. 149 ← ...[3]

[1] Fremdeinträge

a) links oben auf S. 1 mit Bleistift Verweis auf den Druck der zweiten Fassung: "Leidesdorf / opus 116."

b) auf der selben Seite unten links: "IV 231"

[2] Lit.: KINSKY, GEORG. Musikhistorisches Museum von Wilhelm Heyer. Katalog. Band IV: Autographen. Cöln & Leipzig 1916, Nr. 231 mit Faksimile der Seite 1. — DEUTSCH, OTTO ERICH. Franz Schubert. Thematisches Verzeichnis seiner Werke. Neuausgabe. Kassel 1978, S. 115. — Franz Schubert. Neue Ausgabe sämtliches Werke. Serie IV, Band 7, hrsg. von WALTHER DÜRR, Kassel etc. 1968. S. 141-152: Abdruck aufgrund unserer Autographs.

[3] Einlieferer zur Boerner-Auktion waren Ludwig v. Holstein, Philipp Spitta, Joseph Joachim und Max Kalbeck.

SCHUBERT, FRANZ

N 3. An eine Quelle [Lied für Singstimme und Klavier, Text von Matthias Claudius, D. 530 (op. 109, Nr. 3 [1])]

Partitur (Druckvorlage) [2], 𝄴 A-Dur

2 Blätter, mit grünem Seidenband und grünem Siegellack aneinander befestigt; beiges Bütten, oben und links beschnitten, ursprünglich 2 Falze, Bibliothekspaginierung; Querformat: 238 : 310 mm.; Wasserzeichen auf S. 4 (obere Hälfte, auf dem Kopf) und S. 2 (untere Hälfte): Mondsichel mit Gesicht; braunschwarze Tinte, Rasuren.[3]

8-zeilig rastriert, (1) 3 (1) 3. S. 1 oben: Titel, rechts: *"Februar 1817 Frz. Schubert mpia"*, Instrumentation: *"Singst. | Piano- | Forte"*, Beginn: *"Du kleine grünumwachs'ne Quelle"*; S. 4: (1) 3 2 (2), Schluß auf dem zweiten System.[4]

Erworben 1937 von Firma Hinterberger, Wien, Katalog 18 [1937], Nr. 213, vorher Katalog IX [1936], Nr. 284 ← Stefan Zweig, Salzburg ← . . . ← Auktion Heyer Nachlaß Teil III, Firmen Henrici & Liepmannssohn, 29. September 1927, Katalog, Nr. 358 ← Wilhelm Heyer, Köln, erworben bei Auktion Liepmannssohn, Berlin, Katalog XXXVIII, 21./22. Mai 1909, Nr. 819, vorher Katalog XXXVII, 4./5. Nov. 1907, Nr. 223 ← ? ← Maurice Schlesinger Paris — Anton Diabelli, spätestens 1829 ← Komponist

[1] op. 109 Nr. 1 = D. 361, op. 109 Nr. 2 = D. 143.

[2] Rötelspuren. Am Schluß S. 4 unten Zensurvermerk: "Excudatur / Vom kk. C[entral]. B[ücher]. Rev[isions]. Amt. / Wien 8 Juli 819. / Freyberger." Unten auf S. 1 Plattennummerangabe "3317".

[3] Weitere Fremdeinträge

a) Auf S. 1 ganz links unten "TV. U**"

b) Anton Diabelli, der Erstverleger, brachte die folgenden Zusätze an: Auf S. 1 über der zweiten Notenzeile die Tempobezeichnung "Mäßig" sowie den Hinweis "NB der Anfang ist rückwärts"; dieser bezieht sich auf vier Takte neu hinzugefügtes Vorspiel, die Diabelli am Schluß des Autographs auf den leeren untersten zwei Zeilen der S. 4 eintrug mit dem Vermerk "Anfang". Der Erstdruck erschien mit dieser Änderung.

c) Für die französischen Käufer fügte der Zweitverleger Schlesinger interlinear oder über der Singstimme eine französische Übersetzung hinzu "Fon-tai-ne obscure au frais om-bra-ge . . ."

4 Lit.: Kinsky, Georg. Musikhistorisches Museum von Wilhelm Heyer. Katalog. Band IV: Autographen. Cöln & Leipzig 1916, Nr. 233. — Deutsch, Otto Erich. Franz Schubert. Thematisches Verzeichnis seiner Werke. Neuausgabe. Kassel 1978, S. 309.

Schubert, Franz

[4] *Hymne*[n]. [Text von] *Novalis*. [für Singstimme und Klavier, D. 659-662]

Partitur, ₵ C-Dur, $\frac{2}{4}$ b-moll, $\frac{2}{4}$ b-moll, $\frac{2}{4}$ A-Dur

2 ineinandergelegte Doppelblätter, lose; gelbliches Bütten, oben beschnitten, Bibliothekspaginierung; Querformat: 239/241 : 306/318 mm.; Wasserzeichen a) Halbmond nach links geöffnet zwischen Stegen: S. 2 oberer Rand (unterer Teil), und S. 3 oberer Rand (auf dem Kopf, unterer Teil), b) Lilienmuster: S. 6 oberer Rand (oberer Teil, auf dem Kopf), S. 7 oberer Rand (unterer Teil); dunkelbraune Tinte.[1]

16-zeilig rastriert, 5 × 3 (1). S. 1 oben: Titel, vorne: [I] *"Mit Andacht."*, Instrumentation: *"Singst. | Piano | Forte"*, Beginn: *"Wenige wissen das Geheimnis . . ."*; S. 7 oben: *"V.* [= II] *Novalis."*[2], Beginn: *"Wenn ich ihn nur habe . . ."*;S. 7 viertes System links außen: *"VI"* [= III], Beginn: *"Wenn alle untreu werden . . ."*; S. 8 drittes System links außen: *"IX"* [= IV], Beginn: *"Ich sag' es jedem . . ."*, Schluß auf derselben Seite. Datiert und signiert auf S. 1 oben rechts: *"May 1819 | Franz Schubert mpia"*, desgleichen oben rechts auf S. 7.[3]

Erworben aus dem Nachlaß der Erben Stefan Zweigs ← Stefan Zweig, Salzburg ← . . . ← Dr. Alwin Cranz ← . . .

[1] Alle vier Ränder auf Seite 1 sind dicht beschrieben mit Angaben eines Vorbesitzers, wo andere Gesänge Schuberts erschienen sind und wo sich die Autographen möglicherweise befinden.

[2] Die originalen römischen Ziffern beziehen sich auf die Nummern in der Textvorlage: Novalis. Geistliche Lieder.

[3] Lit.: Deutsch, Otto Erich. Franz Schubert. Thematisches Werkverzeichnis. Neuausgabe. Kassel 1978, S. 384-386.

Loewe, Carl (1796-1869)

[Aus den 4 Fabelliedern op. 64: Nr. 2-4:] *Der Kukuk || Die Katzenkönigin || Der Bär*

Partitur (Druckvorlage),[1] $\frac{2}{4}$ G-Dur, $\frac{2}{4}$ E-Dur, $\frac{2}{4}$ a-moll

8 Blätter, lose, ursprünglich 4 hintereinander angeordnete Doppelblätter, sorgsam restauriert, Bibliothekspaginierung; beiges Papier, ursprünglich mit Mittelfalte; Querformat: 246: 355 mm.; Wasserzeichen a) «TB» (oder FB?): untere Hälfte auf S. 3 und 14, obere Hälfte auf S. 6 und 10, b) Tuchtänzer auf Kugel: untere Hälfte auf S. 2 und 16, obere Hälfte auf S. 7 und 11; dunkelbraune Tinte.

9 einzeln rastrierte Zeilen, 3 × 3. S. 1 oben rechts: *"Loewe./No 2"*, in der Mitte: *"Der Kukuk | Fabellied, | Aus dem Ausbund schöner weltlicher u. züchtiger Lieder."*, vorne: *"Allegretto"*, Beginn: *"Einmal in einem tiefen Thal . . ."*; S. 5 mittleres System: Schluß, Rest leer; S. 6: links: *"No 3"*, Mitte: *"Die Katzenkönigin"*, vorne: *"Allegro"*, Beginn: *"'S war 'mal 'ne Katzenkönigin, . . ."*; S. 10 letztes System: Schluß, *"Chamisso"*; S. 11 links: *"No 4"*, Mitte: *"Der Bär"*, vorne: *"Allegretto"*, Beginn: *"Mach auf, mach auf, mach auf deine Thür . . ."*: S. 15 am Anfang des letzten Systems: Schluß, *"W. A. Häring"*. S. 16: leer. Undatiert.[2]

Erworben 1937 von Firma Hinterberger, Wien, Katalog 18, [1937], Nr. 146, vorher Katalog IX, [1936], Nr. 265 ← Stefan Zweig, Salzburg, ← . . ., nach 1900 ← Verleger Robert Lienau, 1865 ← Verleger Heinrich Schlesinger, Berlin, 1844 ← Verlegerin Witwe Philippine Schlesinger, Berlin, 1838 ← Erstverleger Adolph Martin Schlesinger, Berlin, 1837/38 ← Komponist.

[1] Verschiedene Einträge vom Drucker und Verleger mit Bleistift

a) Berechnung der Seiteneinteilung u.ä.

b) S. 3 unter dem Titel "Gedicht von A.v. Chamisso", S. 11 unter dem Titel "von W. A. Häring" [= Willibald Alexis].

c) oben links auf S. 1 nach *"Loewe"*: "4 Fabellieder Op. 64 Heft II" und unten Mitte Verlagsnummer "S 2252 (2)".

d) unten auf S. 1 "Berlin, Eigentum verbleibt [?] Schlesinger".

[2] Lit.: Carl Loewe Werke. Gesamtausgabe der Balladen . . . hrsg v. MAX RUNZE. Leipzig etc. ca. 1900. Bd. IX, S. xxv-xxvii und S. 96-113. Lienau stellte unser Autograph Runze für die Edition zur Verfügung. Entstanden sind die Lieder im Juli 1837.

LORTZING, ALBERT (1801-1851)

Lied des Hans Stadinger aus der Oper: "Der Waffenschmied" [Text vom Komponisten, eine ungedruckte Strophe] [1]

Klavierauszug als Albumblatt, $\frac{3}{8}$ D-Dur

1 Blatt, lose; beiges, festes Schreibpapier mit Goldschnitt; Querformat: 200 : 246/248 mm.; Wasserzeichen auf S. [II] in der unte-

ren rechten Ecke «J WH . . . / TURK . . . / 1˙ . . .»; schwarz-braune Tinte.

9-zeilig handrastriert. S. [I]: 3 × 3, oben: Titel, vorne: *"Andante con espressione"*, Beginn des Lieds: *"Wenn jeder erglühte für Wahrheit u. Recht . . ."*; S. [II]: Schluß auf dem 3. System, dazu rechts dem Rand entlang: *"Seinem geehrten Freunde, Herrn Carl Göhring zu geneigtem / Angedenken von / Albert Lortzing"*, links: *"Leipzig den 20ten Aug. 1846"*.[2]

Erworben bei Auktion Stargardt, Marburg, 24./25. Nov. 1964, Katalog 570, Nr. 687 mit Faksimile der S. [I] ← Sammlung Bütler, Schweiz ← . . . ← Carl Göhring ← Komponist.

[1] Die erste Strophe des Lieds beginnt "Auch ich war ein Jüngling mit lockigem Haar". Unsere Strophe figuriert nicht unter jenen fünf, die der von G. F. Kogel besorgte Klavierauszug bei Peters in Leipzig aufweist. Wahrscheinlich wurde sie bald nach der Uraufführung fallen gelassen.

[2] Lit.: (REHM, WOLFGANG. Albert Lortzing [= *MGG* VIII 1960, 1206-1213], S. 1208: Uraufführung Wien 30. Mai 1846.)

ROSSINI, GIOACHINO (1792-1868)

L'A [d.i. 'L'Âme délaissée', Lied für Sopran und Klavier, Text von C. Delavigne] [1]

Sopranstimme, 𝄴 F-Dur

1 Doppelblatt, lose; grünes Bütten, oben beschnitten, ursprüng-lich Mittelfalte; Blindstempel der Papierfirma: Rechteck mit abgeschrägten Ecken und Krone (Text nicht lesbar); Hochfor-mat: 304 : 230 mm.; braunschwarze Tinte.[2]

12-zeilig rastriert. S. [I]: leer; S. [II]: (1), 11 × 1, oben *"L'A"* ausgewischt, dazwischen gesetzt *"1."*, Beginn: *"Dal loco o-v'é pena infi-ni-ta . . ."*, 33 Takte; S. [III]: 12 × 1, Schluß: *". . . una preg-hiera non ha per me"*, 39 Takte; S. [IV]: leer. Undatiert, unsig-niert.[3]

Erworben 1948 von Firma Kaeser, Lausanne, Katalog 1948, Nr. 250 ← . . .

[1] Von fremder Hand mit verblaßtem Rotstift auf S. [I] oben: "l'âme délaissée", daneben mit Bleistift "Rossini".

[2] S. [IV] unten von anderer Hand auf dem Kopf mit Bleistift: "Rossini".

[3] Lit.: GOSSETT, PHILIP. Gioachino Rossini [= The New Grove. London 1980, vol. XVI 226-251], S. 247: vermutlich um 1844 entstanden, Erstdruck: Paris 1844, auch unter dem Titel 'L'Âme du Purgatoire' überliefert.)

DONIZETTI, GAETANO (1797-1848)

6. Notturni | a più Istromenti Ob.^{ti} | Dedicati al | Sig.^r Giuseppe Celati | da | G. Donizetti.

Partitur (Urschrift) [1], ₡ Es-Dur, ₡ f-moll, ₡ As-Dur, ₡ F-Dur

34 Doppelblätter

1 | 3 |⎵| 11 |⎵| 19 | 21 |⎵| 29 |⎵| 37 |⎵| 45 |⎵| 53 |⎵| 61 |⎵|

lose, Bibliothekspaginierung; starkes weißes Bütten; Querformat: 234/240: 310/326 mm.; Wasserzeichen passim: «C S M», «C F A», Halbmond, Greif; braunschwarze Tinte.

10-zeilig rastriert mit Mehrfachrastral, 8 (2), bzw. 9 (1). Jeweils am Anfang der Sätze Instrumentation: *"[2]Violini | Viola | Flauto | Corno Bassetto | Corno p^{mo} E fà | Corno secondo E fà | Contrabasso"* [2], jeweils oben rechts Satznummer und unten nach der Instrumentation die Tempoangabe. S. 1: Titel; S. 2: leer; S. 3 (–19): *"I" || "Andante"*, 25 Takte, ab S. 7: *"Allegro"*, 75 Takte; S. 20: leer; S. 21 (–35): *"II" || "Maestoso"*, 24 Takte, ab S. 25: *"Moderato"*, 51 Takte; S. 36: leer; S. 37 (–44): *"III" || "Nella Medea di Majr"* [3] *|| "Larghetto"*, 32 Takte; S. 45 (–66): *"IIII" || "And.^{te} mosso"*, 19 Takte; S. 49 (–52): *"Tema" || "allegretto"*, 16 Takte; S. 52 (–56): 1. Variation, 16 Takte; S. 56 (–59): 2. Variation, 16 Takte; S. 60 (–66): 3. Variation, 26 Takte; S. 67-68: leer. Datiert auf dem Titel oben rechts *"1821"*.

Erworben 1936 von Firma Hinterberger, Wien, Katalog IX, [1936], Nr. 248 ← Stefan Zweig, Salzburg ← . . .

[1] Auf dem Titel von fremder Hand oben links "Donizetti" und unten links "4162 HZZ". Die von Donizetti auf dem Titel angegebene Zahl von Notturni (6) stimmt nicht mit dem Inhalt überein.

[2] Von Donizetti nachträglich vervollständigt zu *"Violoncello e Contrabasso"*. Bei den späteren Instrumentationen sind Cello und Bass auf zwei Systemen getrennt untergebracht *". . . Violoncello | Basso"*.

[3] Gemeint ist die Oper 'Medea in Corintho' von Donizettis Lehrer Simon Mayr, die 1813 in Neapel uraufgeführt wurde.

Abb.7

MEYERBEER, GIACOMO (1791-1864)

[Notenbüchlein mit Änderungen zur Oper 'Robert der Teufel']

Klavierauszug und Particell

30 (statt 33) Blätter zweier verschiedener Papiersorten a) festes, weißes Bütten, allseitig beschnitten b) braunes durchgeschossenes Papier. Lagenordnung (dünne Stricke = braunes Papier/Vorsatz)

gebunden in Pappband mit Lederrücken; Quadratformat: 218 : 212 mm.; 3 verschiedene Wasserzeichen passim a) «ADV & S» b) «EGA»[?] c) Würdenträger mit Mondsichel als Krone und langem Stab; braunschwarze Tinte, vereinzelt Bleistift.[1]

Auf den eingeschossenen Blättern notiert Meyerbeer meist in deutscher Sprache Beobachtungen aufgrund der Probenarbeit und macht sich Notizen für Änderungsvorhaben. So steht z.B. auf Seite 59 ganz oben über einer Liste von Detailänderungsprojekten *"Veränderungen welche noch nicht in die copierte Partitur eingetragen sind."* Auf den weißen, 16-zeilig rastrierten Blättern sind Neufassungen und Umarbeitungen einzelner Nummern oder Nummernteile notiert. Undatiert [2], unsigniert.

Erworben bei Auktion Hauswedell, Hamburg, 24./25. November 1960, Katalog, Nr. 824 ← Walter H. Perl, Huntington, West-Virginia ← ...

[1] Auf S. A rechts oben von fremder Hand "Mr Vandrian".

[2] Über den Werdegang der Oper geben die Briefe und Tagebücher ausführlich Auskunft, cf. MEYERBEER, GIACOMO. Briefwechsel und Tagebücher, hg. v. Heinz Becker. Bd. II (1825-1836). Berlin 1960, passim. Die Probenarbeit begann im Juli 1831 und führte zu zahlreichen Änderungen bis zur Uraufführung in Paris am 21. November 1831.

Abb.11

BERLIOZ, HECTOR (1803-1869)

Lamento [Lied für Singstimme und Klavier, op. 7 Nr. 3] / *Paroles de Th: Gautier*

Partitur (Urschrift), $\frac{6}{8}$ d-moll

1 Doppelblatt, lose, das zweite Blatt in Papierrahmen montiert; fleckiges, gebräuntes Papier, ursprünglich in der Mitte gefaltet, seitlich und unten beschnitten; Hochformat: ca. 360 : 280 mm.; Wasserzeichen im Falz: «D & C BLAUW», Blindstempel oben auf dem ersten Blatt: Krone, «Dantier fils Paris, Succ. de Charnez 106 Rue du Temple»; schwarzbraune Tinte. Viele Korrekturen.[1]

30-zeilig mit Mehrfachrastral rastriert (Anordnung: Singstimme durch eine Leerzeile für Textierung von Klaviersystem getrennt). Seite [I] vorne: *"Andantino"*, Beginn: *"Ma belle a-mie est morte..."*; S. [III] Schluß; Seite [IV]: *"C'est à Mr Rosenhaim [!]"*.[2] Undatiert, unsigniert.[3]

Erworben durch Firma Maggs bei Auktion Sotheby, London, 16./17. Juni 1947, Katalog, Nr. 257, mit Faksimile der Seite [I] ← Mrs. A. F. Hill ← Arthur F. Hill, London ← ... ← J. Rosenhain, Paris, 1852 ← Komponist.

[1] Seite [II] Zeile 11/12 zu Dreivierteln überklebt, desgleichen ein Stückchen auf Seite [III] Zeile 12.

[2] Ergänzung von anderer Hand (ursprünglich mit Bleistift, dann mit Tinte nachgefahren) auf S. [IV] "Autographe de H. Berlioz / donné par lui à / Jacob Rosenhain / Paris 1852".

[3] Der dritte von sechs Gesängen, op. 7 'Les Nuits d'Eté', welcher im Druck von 1841 den Titel 'Sur les Lagunes' erhielt, unter dem schon Gautier den Text publiziert hatte. — Lit.: HOPKINSON, CECIL. A Bibliography of the Musical and Literary Works of Hector Berlioz... 2nd. ed. Tunbridge Wells 1980, S. 48-51 mit Nachtrag auf S. 208. Unser Autograph ist auf S. 193 kurz erwähnt.

Abb.3

MENDELSSOHN BARTHOLDY, FELIX (1809-1847)

Reiselied [für Singstimme und Klavier, op. 19 Nr. 6, Text von Karl Egon Ebert]

Partitur (Abschrift), $\frac{6}{8}$ E-Dur

1 Blatt, lose, ursprünglich auf ein rückseitig beschriebenes Blatt aufgeklebt (Papierrest und Leimspuren auf der Rückseite); vergilbtes, festes Papier, ursprünglich Falt in der Mitte, Ränder unregelmäßig beschnitten; Querformat: 216/218: 285/287 mm.; braunschwarze Tinte.[1]

14-zeilig rastriert mit Mehrfachrastral, 4 × 3 (2). S. [I] vorne: *"Allegro di molto"*, in der Mitte: *"Reiselied"*, Beginn: *"Bringet des treusten Herzens Grüße..."*, vollständige Komposition; S. [II]: leer. Unten rechts auf S. [I]: *"Sorrento 1ster Juny 1831 / Felix Mendelssohn Bartholdy"*.[2]

Erworben 1937 von Firma Hinterberger, Wien, Katalog 18 [1937], Nr. 156, vorher Katalog IX [1936], Nr. 269, mit Faksimile ← Stefan Zweig, Salzburg ← ...

[1] Von fremder Hand mit Bleistift oben links auf S. [I] "J.J."

[2] Lit.: Kat. Hinterberger: "Die Komposition wurde am 16. Okt. 1830 beendet. Unser Ms. weist zahlreiche kleinere Abweichungen gegenüber dem Druck auf... Vom Text hat Mendelssohn nur die erste der zwei Strophen zwischen die Zeilen geschrieben."

Zeitgenössische Abschrift [1] des "Frühlingslieds" für Klavier aus den 'Liedern ohne Worte' op. 62 Nr. 6

$\frac{2}{4}$ A-Dur

1 Doppelblatt, lose; beiges 16-zeiliges Notenpapier (8 x 2), ursprünglich ein Falt in der Mitte; Hochformat: 300 : 230 mm.; braunschwarze Tinte, Korrekturen mit roter Tinte (Schreiber B)

S. [I] oben: "Copied for Aunt Augusta" (Schreiber A oder F), rechts: "F. Mendelssohn Bar-/tholdy." (Schreiber C), vorne: "Lied. / Allegretto." (Schreiber A) mit Zusatz: "op. 62 Nr. 6" (Schreiber D), Beginn der Komposition (Schreiber A); S. [II]: Schluß auf dem 6. System (Schreiber A); S. [III] / [IV]: leer. Datiert am Schluß der Komposition: "London d. 1^n Juni 1842. / Roederberg 17 Sept. 42." (A).[2]

Erworben bei Auktion Stargardt, Marburg, Nov. 1954, Katalog 517, Nr. 207, mit Faksimile ← . . .

[1] Im Gegensatz zum Versteigerer und seinem Gutachter Wolfgang Schmieder, die das vorliegende Blatt, sowohl was die Niederschrift als auch die Korrekturen mit roter Tinte anbelangt, für autograph halten, sind Margaret Crum, Oxford, Rudolf Elvers, Berlin, und R. Larry Todd, Durham N. C., der Ansicht, daß Mendelssohn weder an der Niederschrift noch den Zusätzen beteiligt ist. Demzufolge ergibt sich die folgende Aufteilung der Kopistenhände.
Schreiber A: Titel, Tempoangabe, Niederschrift und Datierung
Schreiber B: Korrekturen mit roter Tinte betreffend Akkordänderungen
Schreiber C: Eintrag des Komponistennamens mit Bleistift
Schreiber D: mit Bleistift Eintrag der Opusnummer
Schreiber E: Orientierungsbuchstaben mit Rotstift im Notentext
Schreiber F: (oder A?): "Copied for Aunt Augusta"?

[2] Lit.: Kat. Stargardt Nr. 207: die von uns bezweifelte hypothetische Entstehungsgeschichte des Blattes sowie der Hinweis auf Abweichungen des Notentextes gegenüber dem Erstdruck (Simrock 1844, Platten-Nr. 4343) und der Gesamtausgabe. — Neuausgabe: Felix Mendelssohn Bartholdy. Lieder ohne Worte. Hrsg. von Rudolf Elvers und Ernst Herttrich. München 1982, S. 99-102. Unser Manuskript ist noch als autographe Quelle (A8) bezeichnet, siehe S. 170.

CHOPIN, FREDERIC (1810-1849)

[Fragment der 'Grande Fantaisie sur des airs polonais' für Klavier und Orchester, op. 13, Beginn]

Partitur mit Klavierauszug (erste Niederschrift) sowie Skizze, ¢ A-Dur

2 Blätter (ursprünglich 1 Doppelblatt),[1] lose; graugrünes Büttenpapier durch Tintenfraß beeinträchtigt, ursprünglich 2 Falze;

Querformat: 260: ca. 330 mm.; Wasserzeichen Bl. 1ᵛ am oberen Rand: untere Hälfte eines Kreises, Bl. 2ʳ am oberen Rand auf dem Kopf: «W T»; schwarze Tinte.

16 zeilig handrastriert. Bl. 1ʳ: links *"A. E"* darunter Instrumentation: *"Timp | Clar in D | Corni in A | Flauti | Oboe | Clarin A | Fagotti | Violino I | Violino II | Viola | [leer] | Pianoforte | [leer] | Cello | Basso"*, Beginn der Orchestereinleitung mit Klavierauszug, 8 Takte, Bl. 1ᵛ: Fortsetzung 7 Takte, Bl. 2ʳ: Fortsetzung 4 Takte bis zur Fermate, jedoch nur Klavierauszug auf Zeile 12-14 und Tremolo der Timpani auf der Fermate (Zeile 1), Bl. 2ᵛ: Takt 34 und 35 der Klavierstimme nebst Instrumentationsskizzen. Undatiert, unsigniert.[2]

Erworben 1937 von Firma Hinterberger, Wien, Katalog 18 [1937], Nr. 29, vorher Katalog IX [1936], Nr. 245 (mit Faksimile von Bl. 1ʳ) ← Stefan Zweig, Salzburg ← ? ← Auktion Heyer Nachlaß Teil III, Firmen Henrici & Liepmannssohn, 29. September 1927, Katalog, Nr. 67 ← Wilhelm Heyer, Köln ← ... ← Adam Münchheimer, Warschau, vor 1892[3] ← Józef Nowakowski ← ...

---

[1] Foliierung von fremder Hand.

[2] Echtheitsbestätigung Bl. 1ʳ oben ursprünglich mit Bleistift, dann mit Tinte nachgefahren: "Szkic do Fantasii op. 13 F. Chopina (autograf) Wlasnosc AMüncheimera" sowie fast gleichlautender Eintrag auf Bl. 2ʳ rechte Seitenhälfte. — Lit.: Kinsky, Georg. Musikhistorisches Museum von Wilhelm Heyer in Cöln. Katalog. IV: Musik-Autographen. Leipzig 1916, Nr. 662 (S. 365f) — (GA Breitkopf & Härtel Bd. XII S. 131) — Brown, Maurice. J. F. Chopin. An Index of his works in chronological order. New York ²1972, Nr. 28 (S. 29f): entstanden im November 1828. — Kobylánska, Krystyna. Rekopisy utworów Chopina. Katalog. Krakau 1977. Bd. I S. 97 mit Bibliographie; zweite deutsche Ausgabe: Frédéric Chopin. Thematisch-bibliographisches Werkverzeichnis. München 1979, S. 31f.

[3] Das Autograph war zu sehen an der Wiener Internationalen Ausstellung für Musik- und Theaterwesen, Wien 1892, siehe den Fachkatalog der musikhistorischen Abteilung ... Wien 1892, Nr. 21 und S. 379.

Abb.5

SCHUMANN, ROBERT (1810-1856)

[Skizzen zu zwei Liedern für Singstimme und Klavier]
S. [I]: *Vom Reitersmann (Altdeutsch)* [rechts:] *S. 106 (Schnorr)*[1]
S. [II]: *Keuzlein | (Aus dem Wunderhorn, S. 233).*[2]

Partiturskizze, ¢ a-moll bzw. ²⁄₄ g-moll

1 Blatt, lose; vergilbtes, beiges Papier, ursprünglich mit Mittelfalte; Hochformat: 299: 229 mm.; braune Tinte, Zusätze mit Bleistift.[3]

54

14-zeilig rastriert. S. [I]: 4 × 3, 1 × 2, oben: Titel und Angabe zum Textdruck, vorne *"Kräftig"*, Beginn: *"Es stieg ein Herr zu Roße..."*, am Schluß auf dem letzten System datiert: *"30/4 49."*; S. [II]: 4 × 3 (2), oben: Titel, vorne: *nicht schnell"*, Beginn: *"Ich armes Keuzlein klein..."*, Schluß auf dem 4. System. Unsigniert. Die ganze zweite Skizze ist diagonal durchgestrichen und mit dem Bleistiftvermerk versehen *"bleibt weg"*.[4]

Erworben 1937 von Firma Hinterberger, Wien, Katalog 18 [1937], Nr. 216, vorher Katalog IX [1936], Nr. 288 ← Stefan Zweig, Salzburg ← ... ← Frau Zserva[?] ← Clara Schumann ← Komponist

[1] oder "Schnoor"? Eine noch unidentifizierte Angabe zu einem Textabdruck in einer Gedichtsammlung oder Anthologie. Mit dem Namen ist vielleicht Heinrich Christian Schnoor gemeint.

[2] ARNIM, L. ACHIM VON, und CLEMENS BRENTANO. Des Knaben Wunderhorn. 1 Teil. 2. Auflage. Heidelberg 1819, S. 233f.

[3] S. [I] unten rechts mit violetter Tinte "Handschrift von / Robert Schumann / an / Frau Zserva[?] von / Klara Schumann" — Ferner Händlereintrag unten links auf derselben Seite: "XVIII/216".

[4] Lit.: Kat. Hinterberger 18: "Beide Lieder waren für op. 79 "Liederalbum für die Jugend" gedacht, das Schumann 1849 veröffentliche. Das erste Lied ist gänzlich unveröffentlicht geblieben, während das zweite in geänderter Gestalt als op. 79 No. 11 im Druck erschien." — Den Namen von Clara Schumanns Adressatin liest Hinterberger als Czsanie und bemerkt dazu "Wohl die Schwiegermutter des Hofkapellmeisters Aloys Schmitt d. J. in Schwerin, dessen Gattin eine geborene Cszanyi war und aus Ungarn stammte."

LISZT, FRANZ (1811-1886)

Soldatenlied [für Männergesang mit Begleitung von Trompeten und Pauken nach Belieben, Text aus Goethes 'Faust', Raabe-Verz. 560.6]

Ziemlich vollständige Skizze

1 Blatt, lose, in neuerer blauer Leinenmappe mit Deckelschild "Herrn Dr. Martin Bodmer zum 70. Geburtstag in Verehrung von Bernd H. Breslauer", Rückenschild "Franz Liszt. Soldatenlied aus Goethe's Faust. Autograph"; weißes, vergilbtes Papier (obere Hälfte eines hochformatigen Blattes), ursprünglich ein senkrechter und zwei waagrechte Falten; Querformat 268/272: 348 mm.; schwarzbraune Tinte, Korrekturen mit Bleistift.[1]

S. [I]: 18½ Zeilen handrastriert (6 × 2 mit Leerzeilen dazwischen), vorne: *"Sehr lebhaft"*, Beginn der Skizze mit einigen Zeilen Text und mit dem Hinweis auf Zeile 11: *"2 Zeilen / für Trompeten und Pauken leer lassen"*, S. [II]: 18 Zeilen handrastriert, Schluß auf dem ersten System (Zeile 2/3), darunter Liste von

12 Nummern: *"Männergesänge [:]* 1. *VereinsLied* | 2. *Ständchen (Hüttelein)* | 3. *Wir sind nicht Mumien.* | 4. *geharnischte Lieder "Es rufet Gott (in Es ⁴)* | 5. [geharnischte Lieder] *"nicht gezagt* | 6. [geharnischte Lieder] *"Es rufet Gott (in C ⁴)* | 7. *Soldatenlied* ~~Die alten Sagen kunden~~ *Burgen mit* | 8. ~~Saatengrün~~ *Die alten Sagen kunden* | 9. ~~Der~~ *Saatengrün.* | 10. *Der Gang um Mitternacht.* | 11. *Festlied zu Schiller's Jubelfeier* | 12. *"Gottes ist der Orient""*. Auf Zeile 7: *"F. Liszt."* Undatiert.²

Geschenkt erhalten 1969 von Bernd Breslauer, London ← Auktion Stargardt, Marburg, 13./14. Nov. 1969, Katalog 591, Nr. 641 ← Dr. Schweitzer, London ← ... ← A. W. Gottschalk ³ ← Komponist?

¹ Zahlreiche eigenhändige Korrekturen und vereinzelte Bleistiftzusätze (Dynamik, Tempi); der Titel lautete ursprünglich *"Soldaten Chor"*, und Liszt ersetzte dann *"Chor"* durch *"Lied"*. Die Tempoangabe lautete ursprünglich nur *"lebhaft"*, Liszt ergänzte mit Bleistift *"Sehr"*.

² Lit.: (RAABE, PETER. op. cit. Nr. 560'6. Die Liste der Gesänge stimmt mit der Druckfassung überein. Unser Lied ist am 6. Juli 1844 entstanden; da einige andere Lieder jedoch laut Raabe viel später komponiert wurden, dürfte die Liste auf S. [II] erst 1859/60, d.h. nach der Niederschrift von Nr. 11, entstanden sein. Die Drucklegung erfolgte 1861.)

³ Rechts vom Titel der Besitzereintrag des Lisztschülers Alexander Wilhelm Gottschalk "v. Göthe comp. von Fr. Liszt / Autograph / A. W. Gottschalk."

Abb.9

LISZT, FRANZ

[Psalm 129.1-2 vierstimmig gesetzt für Männerchor]

Partitur in Klaviersystem, Takt wechselnd B-Dur, 14 Takte

1 Blatt, lose; gebräuntes, 16-zeilig rastriertes Papier (obere Hälfte eines wohl 32-zeiligen Foliopapiers), Mittelfalte hinterlegt; Querformat 214: 330 mm.; schwarzbraune Tinte.

S. [I]: *"De profundis clamavi ad te Domine..."* auf zwei Systemen, Rest leer;

S. [II]: leer. Undatiert, auf S. [I] in der Mitte rechts signiert *"F. Liszt"*.¹

Erworben 1948 von Firma Kaeser, Lausanne, Katalog 1948, Nr. 226, mit Faksimile ← ...

¹ Auf S. [I] von fremder Hand ganz rechts mit hellbrauner Tinte "22 Dec / 1848", mit derselben Tinte sind die letzten zwei halben Noten im Tenor und Baß auf dem ersten System ergänzt. — Von einer anderen Hand auf S. [II] einige Noteneinträge. — Liszt hat den Psalm bei zwei anderen Gelegenheiten vertont (siehe RAABE, PETER. op. cit. Nr. 492); ob unser Autograph eine Vorstudie dazu darstellt oder unabhängig davon entstanden ist, bedarf der Abklärung.

Valse de l'opera "Faust" de Gounod | pour Piano par F. Liszt
[Raabe-Verz. 166]

Klavierpartitur (Urschrift und Druckvorlage), $\frac{3}{4}$ D-Dur

4 hintereinander angeordnete Doppelblätter, lose, paginiert; 12-
zeilig rastriertes Papier (6 × 2); Hochformat: 333: 268 mm.;
braune Tinte mit Rasuren und zahlreichen Korrekturen mit Tinte, Bleistift, Rot- und Blaustift; von Hand ergänzte Notenzeilen,
Rastralproben.[1]

S. 1 Mitte oben: Titel, oben links: *"A Monsieur le Baron | Alexis
Des Michels"*, vorne: *"Allegro molto vivace"*, Beginn der Transkription; S. 7 unten: der erste Dialog zwischen Faust und Mar-
guerite; S. 16: Schluß auf dem 4. System, mit Datum und
Namenszug: *"Löwenberg Sept: 61. | FLiszt."*, danach Wiederho-
lung der Titelangabe: *"Titel"*, *"A Monsieur le Baron | Alexis Des
Michels. | Valse de ~~Faust~~ l'opéra | "Faust" | de Gounod | pour Piano |
par F. Liszt."*[2]

Erworben bei Auktion Gutekunst & Klipstein, Bern, 15.
November 1950, Katalog, Nr. 318 ← . . .

[1] In einem ersten Revisionsstadium erfolgten die Korrekturen und Zusätze mit
Tinte (Interpretationsangaben, Paginierung), später benützte Liszt andere
Schreibmaterialien, wobei es sich vor allem um Anweisungen für den Setzer
handelt. Auf S. 15 ist das 4. System mit anderem Papier mittels Siegellack
überklebt; auf S. 4 und 13 wird auf ein Korrekturblatt verwiesen, das sich nicht
beim vorliegenden Manuskript befindet.

[2] Lit.: (RAABE, PETER. Franz Liszt. Tutzing ²1968, Bd. II, Nr. 166, Erstdrucke:
Vve L. Muraille, Lüttich o.J. sowie Bote & Bock, Berlin, 1862).

WAGNER, RICHARD (1813-1883)

[Skizze zur Ouvertüre des 'Fliegenden Holländer']

Klavierauszug

1 Blatt, lose; beiges Büttenpapier, unregelmäßig beschnitten (am
oberen Rand Textverlust); Hochformat: 298/300: 254/260 mm.;
Wasserzeichen am rechten Rand von Seite [II]: «A. GRIFFON»;
bräunliche Tinte und Bleistift, Wischspuren.

S. [I]: 25$^1/_2$ Zeilen handrastriert, ca. 132 Takte; S. [II]: auf Zeile
2-7 Bleistiftskizzen in Particell, Z. 8-13: Federskizze, die letzten
2$^1/_2$ Systeme auf dem Kopf: Skizze in Klavierauszug, mit Paginierung in der unteren rechten Ecke auf dem Kopf *"3"*. Undatiert, unsigniert.[1]

Erworben bei Auktion Karl & Faber, München, 5.-6. Dezember
1949, Katalog XXXI, Nr. 359 ← Slg. Barth [2] ← . . .

[1] Lit.: (KASTNER, EMERICH. Wagner-Catalog. Offenbach 1878, S. 9-13: entstanden im Sommer 1841).

[2] Beilage: notariell beglaubigte Echtheitsbestätigung von Siegfried Wagner, Bayreuth 22. November 1920.

WAGNER, RICHARD

Der Fliegende Holländer. | Romantische Oper in einem Acte | und drei Aufzügen. [Textbuch]

Niederschrift fast ohne Korrekturen

8 Doppelblätter, gruppiert in zwei 3er und eine 2er Lage, mit grünen Faden geheftet, paginiert; graues dünnes Papier, ursprünglich ein Falt in der Mitte; Hochformat: 207: 136 mm.; jedes Blatt mit Blindstempel «RW»; schwarzbraune Tinte.[1]

S. 1: Titel; S. 2: *"Personen.| . . ."*; S. 3: *"Erster Aufzug.| . . ."*; S. 11: *"Zweiter Aufzug.| . . ."*; S. 23:*"Dritter Aufzug.| . . ."*; S. 30: *". . . | Ende der Oper."*; S. [31/32]: leer. Undatiert, unsigniert.[2]

Erworben 1936 von Firma Hinterberger, Wien ← . . .

[1] Unterstreichungen mit roter Tinte von Wagners Hand. — Unten auf dem Titel von anderer Hand mit Tinte "Von des Componisten Richard Wagners / eigener Hand. | Geschrieben im Jahre 1842."

[2] Lit.: (KASTNER, EMERICH. Wagner-Catalog. Offenbach 1878, S. 9-13: Entstehungszeit der Oper 1841 — KLEIN, H. F. G. Erst- und Frühdrucke der Textbücher von Richard Wagner: Bibliographie. Tutzing 1979, 17: Erstdruck Dresden, Meser?, 1843).

WAGNER, RICHARD

['Tannhäuser und der Sängerkrieg auf Wartburg']

Partiturfragment (Abschrift), 17 Takte

1 Doppelblatt, lose, paginiert S. *"373."-"376."*; hellbeiges Papier, etwas vergilbt und fleckig, ursprünglich Mittelfalte; Hochformat: 362: 287 mm.; schwarzbraune Tinte.

16-zeilig rastriert. S. 373: Beginnt mit Takt 40 der Einleitung des 3. Aktes; S. 376: Schluß mit Takt 56. Undatiert, unsigniert.[1]

Erworben bei Auktion Gerd Rosen, Berlin, Dezember 1950, Katalog, Nr. 756a ← ... Helene? ← Jetty Müller? ← Kapellmeister Müller? ← Komponist

[1] Lit.: (Alte Wagner-Gesamtausgabe, Bd. III, S. 319-322).

Beilage: 1) Echtheitsbestätigung von Dr. Krüger-Riebow, Staatsbibliothek Ostberlin, an die Firma Rosen, datiert 26. Oktober 1950. b) Brief von Frau Jetty Müller, Tochter des Kapellmeister Müller in Zürich und Freund Wagners an eine Frau Helene, datiert "Rudolstadt. 27 April 82".

WAGNER, RICHARD

Tristan und Isolde [Beginn des Vorspiels]

Albumblatt in Klavierauszug, $\frac{6}{8}$

1 Blatt auf Karton aufgeklebt, stark vergilbtes, etwas stockfleckiges Notenpapier, beschnitten [1]; Querformat: 186: 292 mm.; braune Tinte.

Auf den Zeilen 2-7: 21 Takte des Vorspiels gefolgt von Unterschrift und Datum: *"Richard Wagner | Paris, 22 février | 1860"*.[2]

Erworben bei Auktion Stargardt, Marburg, 29. Oktober 1959, Katalog 545, Nr. 361 ← Rudolf Kallir, New York ← ...

[1] Das Blatt war mit dem Karton ursprünglich in einen Rahmen mit nach oben ausgebuchteter Oberkante montiert und ist entsprechend achteckig beschnitten; dort, wo das Papier dem Licht nicht ausgesetzt war, ist es weiß geblieben.

[2] Lit.: (KASTNER, EMERICH. Wagner-Catalog. Offenbach 1878, S. 47-52. Das Blatt wurde etwa zwei Jahre nach Beendigung der Partitur, jedoch kurz vor dem Erscheinen des ersten Drucks (Sommer 1860) geschrieben.

Abb.15

WAGNER, RICHARD

Tristan und Isolde [Textbuch]

Niederschrift mit Korrekturen

18 Doppelblätter in 4er-, 4er, 2er, 4er, 4er Lage, in neuerem blauen Leineneinband mit je 2 Vorsätzen, foliiert; dünnes, weißes Papier, sorgfältig restauriert; Hochformat: 272: 215 mm.; braunschwarze Tinte.

Bl. 1ʳ: Titel; Bl. 1ᵛ: *"Personen: | ..."*; Bl. 2ʳ: *"Erster Akt. | ..."*; Bl. 15ʳ: *"Zweiter Akt. | ..."*; Bl. 26ʳ: *"Dritter Akt. | ..."*; Bl. 35ᵛ: Ende des 3. Aktes; Bl. 36: leer. Undatiert, unsigniert.[1]

Erworben 1954 von Firma Art Ancien, Zürich ← …

[1] Das Textbuch erschien 1859 im Druck (siehe KLEIN, H. F. G. Erst- und Frühdrucke der Textbücher von Richard Wagner: Bibliographie. Tutzing 1979, 31), doch nahm Wagner danach noch Korrekturen vor, bevor die Partitur in Druck ging (1860). Unsere Fassung muß zwischen der Prosafassung (vor dem Sommer 1857) und 1859 entstanden sein; ihr Verhältnis zu den beiden anderen Fassungen (siehe BAILEY, ROBERT. The Genesis of *Tristan und Isolde*. Diss. masch. Princeton 1969, S. 48-56) ist noch unerforscht.

WAGNER, RICHARD (1813-1883), und HANS VON BÜLOW (1830-1894)

Korrekturbogen zu 'Tristan und Isolde' mit Eintragungen v. Bülows, des Setzers und Wagners [1] (Änderungen und Streichungen im Notenteil, Bemerkungen und Anweisungen am Rand)

247 Blätter, davon 176 Originaldruckbogen (einschließlich 25 Blätter Doubletten), lose in grüner Leinenmappe; dünnes Fahnenpapier; Hochformat: 367: ca. 290 mm.; Tinte (v. Bülow und Drucker), Rötel (Wagner).

In Originalbogen (Platten Nr. 9738, 10 000) liegen vor: S. 3-194, 333-382 (zweimal) und 383-442. Die übrigen Seiten, d.h. Titelblatt, Blatt mit Szenenverzeichnis (S. 1/2) und S. 195-332, sind verlorengegangen und durch Blätter eines späteren Abzugs (Platten-Nr. 10 000) ersetzt. Undatiert,[2] Wagner autorisiert seine Korrekturen öfters mit Initialen.

Erworben durch Heinrich Eisemann bei Auktion Sotheby, London, 19. Dezember 1960, Katalog, Nr. 135 ← Mrs. E. H. Wilkins ← Philip A. Wilkins, London 1938 ← Firma J. Drey Junior, München [3] ← …

[1] S. 103 steht die Anfrage des Druckers an Wagner: "P. 25 oben will Hr. v. Bülow das Wort Thauen ohne h geschrieben haben. Soll die Änderung geschehen?", Wagner antwortet: *"Ja wohl. Nehmen Sie auch dort | das h fort. RW"*. Dies läßt den Schluß zu, daß v. Bülow vorkorrigierte.

[2] aus dem Jahre 1860. Siehe Fußnote 1 des vorausgehenden Autographs.

[3] Beilage: 2 Briefe von J. Drey an Philip Wilkins von 23. September und 10. Oktober 1898 sowie Notiz eines englischen Experten.

WAGNER, RICHARD

[Zitat aus dem Musikdrama 'Siegfried', 3. Akt, 3. Szene]

Albumblatt (als Klavierauszug) $\frac{3}{4}$

1 Blatt, lose; etwas vergilbtes Notenpapier (untere Hälfte mit 11 Zeilen, oben schräg beschnitten); Querformat: 171/172: 240/241 mm.; schwarzbraune Tinte.[1]

S. [I]: "*Très lent et solennel*", Zitat auf Zeilen 3/4 und 5/6, 11 Takte (die erwachende Brunhilde grüßt Erde und Himmel); S. [II]: leer. Undatiert, unsigniert.[2]

Erworben bei Auktion Stargardt, Marburg, 17. Nov. 1961, Katalog 555, Nr. 906 ← Sammlung Hoyer ← ...

[1] Kaum mehr lesbare Bleistifteinträge von fremden Händen auf S. [I]: a) unten Mitte "Weigelt"(?) b) in der Ecke unten links "Wagner (Richard) 3654" c) oben ganz links "6a 46"(?).

[2] Lit.: Katalog Stargardt: Dem Gutachten von Frau Gertrud Strobel (Richard Wagner-Archiv) zufolge könnte das Blatt wegen der Abweichungen gegenüber der endgültigen Orchesterskizze vor dieser, d.h. im Juni oder Juli 1869 entstanden sein. Doch können wir uns der Vermutung, daß die Tempobezeichnung nicht von Wagner stammt, nicht anschließen. Die Schriftzüge weisen nichts auf, das gegen Wagner sprechen könnte; sie sind mit derselben weichen Feder und derselben Tinte geschrieben und entstanden vor den letzten Bereinigungen (ein Bindebogen geht über die Buchstaben hinweg). Die Tempobezeichnung ist ein Zusammenzug der Tempoangabe in der Partitur ("Sehr langsam") und der szenischen Anweisung für Brünhilde "Sie begrüßt mit feierlichen Gebärden der erhobenen Arme ihre Rückkehr zur Wahrnehmung der Erde und des Himmels".

WAGNER, RICHARD

Pour votre Album | (*Anticipation d'un trait du 2*[me] *acte de "Parsifal"*)

Albumblatt in Klavierauszug, $\frac{3}{4}$ 29 Takte

1 Blatt, lose; weißes, festes Papier, auf der Rückseite leicht fleckig, ursprünglich Mittelfalte; Querformat: 231 : 283 mm.; violette Tinte.[1]

S. [I]: 5 × 2 handrastrierte Systeme (schwarze Tinte), oben: Titel, auf dem zweiten System vorne: "*Allegretto*", 3 Systeme Musik, auf dem letzten System rechts "*RW*"; S. [II]: leer. Undatiert.[2]

Erworben 1957 von Firma Théodore Tausky, Paris, Juni 1957, Liste 48 Nr. 138 ← ... ← Judith Gautier? ← Komponist

[1] Kurze Händlereinträge mit Bleistift in zwei Ecken: "3655" bzw. "AC/".

[2] Lit.: HIRSBRUNNER, THEO. Ein Albumblatt Richard Wagners für Judith Gautier? [= Melos/Neue Zeitschrift für Musik III 1977, 500-503].

VERDI, GIUSEPPE (1813-1901)

nei Lombardi [Aus der Oper 'I Lombardi alla prima crociata' 3. Akt, 2. Szene, Arie der Giselda "O belle a questa misera"]

Klavierauszug (Abschrift), 𝄫 g-moll

2 Blätter, zusammengeklebt mit Streifen zu einem Doppelblatt, lose; weißes Papier, allseitig beschnitten, Bibliothekspaginierung; Querformat: 180: 240 mm.; braunschwarze Tinte.[1]

8-zeilig rastriert mit Mehrfachrastral. S. 1: leer; S. 2: 3 (1) 3 (1), oben rechts: Titel, vorne: *"Andantino"*, Beginn: *"O belle a questa misera. . ."*; S. 3: Schluß auf dem unteren System mit Datum und Namenszug: *"9 Novembre 1843. | Milano | G. Verdi"*; S. [4]: leer, bis auf Fremdeintrag.[2]

Erworben Nov. 1951 von Firma Kurt L. Schwarz & Ernest E. Gottlieb, Beverly Hills, Kalifornien, 1951, Katalog 30, ohne Nummer auf S. 42, mit Faksimile der S. 3 ← Alma Mahler-Werfel, Beverly Hills, Kalifornien ← Franz Werfel ← . . .

[1] Gelöschter Stempel auf S. 2 und [4].

[2] Auf S. [4] von fremder Hand auf zwei Systemen Fragment für Singstimme (Baß) und Klavier "terra ospital ti chiama. . ."
Lit.: (HOPKINSON, CECIL. A Bibliography of the Works of Giuseppe Verdi 1813-1901. New York 1978. Vol. II, Nr. 40: Uraufführung 11. Feb. 1843.)

OFFENBACH, JACQUES (1819-1880)

[Skizzen zu einer Orchesterkomposition]

1 Doppelblatt, lose; beige-braunes Papier, beschnitten; Hochformat: 268: 171/177 mm.; Bleistift und Tinte.

20-zeilig rastriert. Auf ein- bis dreizeiligen Systemen sind verschieden lange Abschnitte notiert, locker angeordnet über die ganzen Seiten. Vereinzelte Angaben über die Tonart (z.B. *"b-mol"*, *"e-mol"*) und zur Instrumentation (z.B. *"Flute/Violan"*). S. [I]: 3 Zeilen mit Bleistift notiert; S. [II]-[IV]: jeweils mehrere Abschnitte mit Tinte notiert. Undatiert, unsigniert.

Erworben bei Auktion Galerie Fischer, Luzern, Katalog, 19. Juni 1953, Nr. 26 ← . . .

GOUNOD, CHARLES (1818-1893)

No 5. "Prière." (Dieu de Miséricorde.) [für Klavier zu 4 Händen]

Partitur (Druckvorlage),[1] **C** D-Dur

1 Blatt, lose;[2] hellbeiges Maschinenpapier; Hochformat: 353 : 273 mm.; hellviolette Tinte und Bleistift, Rasuren.[3]

26 Zeilen rastriert. Fünf 4er Systeme mit Zwischenzeilen. Bl. 3ʳ: oben: Titel, links: *"Moderato maëstoso"*, vorne: *"Primo. | Secondo."*, Beginn des Arrangements, 45 Takte; Bl. 3ᵛ: Schluß, 42 Takte. Undatiert, unsigniert.

Erworben 1937 von Firma Hinterberger, Wien, Katalog 18 [1937], Nr. 74, vorher Katalog IX [1936], Nr. 251 ← Stefan Zweig, Salzburg ← ...

[1] Druckangaben mit Bleistift vom Komponisten.

[2] oben rechts von fremder Hand "foglio. 3."

[3] über dem Titel mit Bleistift von fremder Hand "Dieu de miséricorde", sodann Gounods Titel eingeklammert, sein "Prière" mit Bleistift durchgestrichen und darunter mit blasser schwarzer Tinte "Prayer". Unten auf der Rückseite mit Bleistift "Each of 5", zahlreiche Ziffern in der Partitur.

FRANCK, CÉSAR (1822-1890)

"S'il est un charmant gazon que le ciel arrose" [Lied für Singstimme und Klavier, FWV 78, Text von Victor Hugo, Fragment]

Partiturfragment,[1] $\frac{6}{8}$ Es-Dur (ohne Vorzeichen)

1 Blatt, lose; einseitig rastriertes, 13 zeiliges, weißes Papier (4 × 3, 1); Hochformat: 210: 170 mm.; schwarze Tinte.

S. [I]: Die ersten 19 Takte der Komposition (ohne Auftakt) sowie 4 weitere Takte Singstimme allein: *"S'il est un charmant gazon"*; S. [II]: leer, unrastriert. Undatiert, unsigniert.[2]

Erworben 1957 von Firma Georges Privat, Paris, Juni 1957, Katalog 302, Nr. 9340 ← ...

[1] Vielleicht als Albumblatt einzustufen. Geringe Abweichungen gegenüber der Druckfassung.

[2] S. [I] oben links Bestätigung des Pariser Autographenexperten Pierre Cornuau "Autographe de César Franck / Cornuau".

Lit.: (MOHR, WILHELM. Caesar Franck. Tutzing ²1969, S. 330: entstanden 1857).

BRUCKNER, ANTON (1824-1896)

Vorbereitung der $\frac{6}{4}$ Accorde [Harmonielehrübung]

2 ineinander gelegte Doppelblätter, lose; braunbeiges Maschinenpapier, ursprünglich Kreuzfaltung und zwei senkrechte Falze;
Querformat 260: 330 mm.; schwarze Tinte.

12-zeilig rastriert mit Mehrfachrastral. S. 1: Beginn; S. 2: Zwi-
schentitel *"Vorbereitung | der Sextaccorde"*; S. 3: *"Vorberei|tung der
$\frac{6}{5}$ Akkorde"* usw.; S. 8: Schluß. Mit zahlreichen Regelhinweisen
und Kommentaren. Undatiert, unsigniert.[1]

Erworben 1937 von Firma Hinterberger, Wien, Katalog 18,
[1937], Nr. 21, vorher Katalog IX, [1936], Nr. 241 ← Stefan
Zweig, Salzburg ← ... ← Nachlaß eines Brucknerschülers ←
...

---

[1] Lit.: (Vgl. NOWAK, LEOPOLD. Ein Doppelautograph Sechter — Bruckner
[= Symbolae [sic] Historiae Musicae. Festschrift Hellmut Federhofer. Mainz
(1971), 252-259]) — Unser Autograph stellt eine Übung dar, die Bruckner
vielleicht unter persönlicher Aufsicht Simon Sechters, jedoch ohne offensichtliche
schriftliche Eingriffe oder Angaben des Lehrers ausführte; der Unterricht fand in
den Jahren 1855-1861 statt.

BRAHMS, JOHANNES (1833-1897)

Ständchen. Volkslied [für Singstimme und Klavier, op. 14
Nr. 7]

Partitur (Reinschrift), $\frac{3}{4}$ F-Dur

1 Blatt, lose; dunkelbeiges 9-zeiliges Notenpapier, 3 × 3, oberer
Rand von Hand beschnitten; Querformat: 263: 340 mm.;
schwarzbraune Tinte. Wenige Rasuren.

S. [I] oben: Titel, vorne: *"Allegretto"*, Beginn: *"I. Gut Nacht, gut
Nacht, mein Lieb – ster Schatz,"*;[1] S. [II]: Schluß auf der 6. Zeile,
mit Datierung: *"Sept. 58"*, die letzten drei Zeilen leer, Unsigniert.[2]

Erworben 1950 von Firma Otto Haas, London, Lagerkatalog 28
Nr. 200 ← ... ← Alice Cloetta ← Agathe von Siebold ←
Komponist.

---

[1] Die zweite und dritte Strophe sind zwischen Sing- und Klavierstimme geschrieben.

[2] Auf dem Titel oben rechts von fremder Hand mit Bleistift "Joh. Brahms" —
Lit.: McCORKLE, MARGIT L. Johannes Brahms. Thematisch-bibliographisches
Werkverzeichnis. München 1984, S. 43-48, besonders S. 46. Komponiert im Sep-
tember 1958.

STRAUSS, JOHANN, Sohn (1825-1899)

Freikugeln [1] *Schnell-Polka* [für Orchester, op. 326]

Dirigierpartitur [2] und Druckvorlage, $\frac{2}{4}$ F-Dur

Ein Doppelblatt mit 2 eingelegten Blättern, geheftet; gelbliches 18-zeiliges Notenpapier; Querformat: 253/258: 324/325 mm.; schwarzbraune Tinte und Bleistift, [3] einige Rasuren.

S. [I] oben: Titel, links: Instrumentation mit einer Zusatzlinie für "*tamb. picc.*", Beginn; S. [VI]: Schluß; S. [VII/VIII]: leer. Undatiert, unsigniert. [4]

Erworben bei Auktion Gerd Rosen, Berlin, Sept. 1952, Katalog 19, Nr. 172 ← ...

[1] Ursprünglich "*Bleikugeln*".

[2] Hervorhebungen und Merkzeichen mit Rot- und Blaustift.

[3] Taktstriche und ergänzte Notenlinien passim.

[4] Lit.: (WEINMANN, ALEXANDER. Verzeichnis sämtlicher Werke von Johann Strauß Vater und Sohn. Wien, o.J. [= Beiträge zur Geschichte des Alt-Wiener Musikverlags I'2], S. 96: Erschienen im August 1869).

BIZET, GEORGES (1838-1875)

[Miniatur für Klavier] *No 5 Causerie sentimentale*

Partitur (Druckvorlage), [1] $\frac{3}{4}$ b-moll, 61 Takte

1 Blatt, lose; vergilbtes 26-zeiliges Notenpapier (Lard-Esnault, 25 rue Feydeau, Paris), linker Rand unregelmäßig, 3 horizontale Falze; Hochformat: 347: 269 mm.; braunschwarze Tinte, Korrekturen mit schwarzer Tinte [2].

S. [I]: vollständige Komposition auf 7 × 2 Zeilen (mit Leerzeilen dazwischen), Tempoangabe: "*Expressif et triste — sans lenteur*"; S. [II] leer. Undatiert, unsigniert. [3]

Erworben 1937 von Firma Hinterberger, Wien, Katalog 18, [1937], Nr. 18, vorher Katalog IX, [1936], Nr. 238, mit Faksimile ← Stefan Zweig, Salzburg ← ...

[1] Druckervermerke: oben in Schönschrift mit Bleistift die Tempoangabe wiederholt, in der Partitur Zahlen mit Blaustift.

[2] von der Hand Bizets; außerdem stammt von ihm der Zusatz oben rechts "*6*".

[3] Lit.: (DEAN, WINTON. Georges Bizet. His Life and Work. London (1965), S. 149: Unpubliziertes Werk).

Abb. 4

BIZET, GEORGES

Causerie Musicale [Aufsatzmanuskript]

Druckvorlage [1]

12 Blätter, lose; einseitig beschrieben und foliiert von 1-12; weißes, aus Heftung herausgetrenntes linienbedrucktes Papier (links Rißrand), ursprünglich Kreuzfaltung; Hochformat: 309: ca. 210 mm.; braunschwarze Tinte. Korrekturen.[2]

Bl. 1 oben: Titel, Beginn; Bl. 12: Schluß. Undatiert, am Schluß signiert mit dem Anagramm: *"Gaston de Betzi"*.[3]

Erworben 1937 von Firma Hinterberger, Wien, Katalog 18, [1937], Nr. 19, vorher Katalog IX, [1936], Nr. 239 ← Stefan Zweig, Salzburg ← ...[4]

[1] Setzeranweisungen Bizet's mit Blaustift, insbesondere oben auf Bl. 1: *"à composer | en 9 | le plus tôt | possible"*.

[2] Nachträglich, jedoch vor der Drucklegung, einige Eigennamen getilgt. — Von fremder Hand mit Bleistift verschiedene Einträge, wie Entschlüsselung des Anagramms und Nennung von einigen getilgten Namen: M. Grois, M. Philippe, M. Colinet, M. Ledru.

[3] Druck: Revue Nationale et Etrangère, 3. August 1867 unter dem Pseudonym. — Lit.: Katalog Hinterberger — (CURTISS, MINA. Bizet and His World. New York 1958, S. 200-202).

[4] Beilage: Abschrift in Schreibmaschinenschrift, 6 Seiten.

MASSENET, JULES (1842-1912)

[Aus der Oper 'Manon':] *Acte I. | No. 1. | Introduction et Quintette du Souper* [Fassung für Klavier solo [1]]

Druckvorlage,[2] $\frac{3}{4}$ D-Dur

1 Doppelblatt und 1 Blatt, paginiert S. [7], 8-11, [12], in Papierumschlag, lose; beiges 12-zeiliges Notenpapier, meist 2 (1) 2 (1) 2 (1) 2 (1), (Umschlag aus dünnem, weißen Papier; Hochformat: 305: 231 mm. Umschlag 285: 220 mm.); braunschwarze Tinte.

S. [A]: Titel; S. [B]: leer; S. [7]: auf Zeile 4: *"Acte I."*, darunter: *"No. 1 Introduction et Quintette du Souper"*, darunter vorne: *"Allegro"* und Instrumentation: *"Piano"*, Beginn der Komposition: Zeile 7/8; S. 10: *"Allegro brillante"*; S. 11: Schluß (in der Opernpartitur vor "Un poco animato"); S. [12]: leer; S. [Y] und [Z]: leer. Undatiert, unsigniert.

Erworben bei Auktion Rauch, Genf, April 1957, Katalog XVI No. 342 ← ...

66

¹ Mit Fingersatz.

² Von der Hand des Druckers: oben auf S. [A] mit Bleistift "3549", S. [7] oben links mit Tinte "8028", unten mit Bleistift "GH 1442" / 7-14 / 1922, sowie mit Blaustift oben rechts "Manon", ferner von Massenets (?) Hand auf S. [7] rechts von Titel: *"laisser la tête. | ne rien frapper, ni numéros ni titres."*

Abb. 10

SAINT-SAËNS, CAMILLE (1835-1921)

[Skizze zu einer Orchesterkomposition]

Particell, ₵

1 Doppelblatt, lose; 24-zeiliges, festes, weißes Notenpapier, ursprünglich mit Mittelfalte; Blindprägestempel «Lard Esnault Bellamy 5 Paris»; Hochformat: 348: 270 mm.; schwarzbraune Tinte.¹

Vorwiegend Quartettsatz. S. [I]: (1) 4 5 (1) 4 (1) 3 (1) 4, 25 Takte; S. [II]: 3 (1) 3 (1) 3 (13), 14 Takte; S. [III/IV]: leer. Undatiert, unsigniert.

Erworben bei Auktion Galerie Fischer, Luzern, 19. Juni 1957, Katalog, Nr. 30 ← . . .

¹ Fremdeinträge mit Bleistift a) S. [I] unten links: "132 A Saint Saëns" b) S. [II] unten auf dem Kopf: "S. Saëns".

TSCHAIKOWSKY, PJOTR ILJITSCH (1840-1893)

Nr. 6. Noči bezumnye || Tekst A. Apuchtina | Muz. P. Čaikovskogo ¹ [Lied für Singstimme (Sopran) und Klavier, op. 60 Nr. 6]

Partitur (Urschrift, Aufführungspartitur und Druckvorlage),² $\frac{9}{8}$ g-moll

1 Doppelblatt, lose; beiges 3 × 3-zeiliges Notenpapier mit drei Längs- und zwei Querfalten, beidseits gelocht; Querformat: 268: 357 mm.; mit Firmenaufdruck «No. 31 (I). Yurieisona at Moskwie»; braunschwarze Tinte.³

S. [I]: 3 × 3, oben Mitte: Titel, rechts: Autorenangabe, vorne: *"Andante non troppo"* wiederholt im Klaviersystem, Instrumentationsangabe: *"canto | P.F.",* Beginn: *"Noči bezumnye, noči bessonnye. . .";*⁴ S. [IV]: Schluß auf dem 2. System, Rest leer. Undatiert, signiert auf dem Titel.⁵

Erworben bei Auktion Rosen, Berlin, Nov. 1956, Katalog XXVII'2, Nr. 2270 ← . . .

¹ Alle russischen Texte in kyrillischer Schrift.

² Mit zahlreichen Verbesserungen und Zusätzen (verlängerte Notenzeilen) mit Tinte, sowie mit Bleistift Ergänzungen betreffend Pedal, Takt und Tempo (z.B. Tempoangabe ergänzt mit *"un poco rubato"*).

³ Zusätze von fremden Händen:

a) Über dem Originaltitel mit Bleistift deutsche Übersetzung "Schlaflose Nächte"

b) In Takt 4 mit Bleistift in lateinischer Schrift "Tschkovski", ferner Orientierungsziffern

c) mit Tinte auf S. [I] am rechten Rand oben "op. 60".

⁴ Die offizielle Übersetzung in den deutschsprachigen Ausgaben lautet für den Titel 'Trunkene Nächte' und den Textanfang "Sinnlose Nächte und schlaflose Nächte...".

⁵ Lit.: (WESTERNHAGEN, LOUISA VON. Systematisches Verzeichnis der Werke von Pijotr Iljitsch Tschaikowsky. Hamburg (1973), S. 38f: Entstehungszeit 19. August bis 8. September 1886).

Abb.14

DVOŘÁK, ANTONÍN (1841-1904)

Requiem. (Pro Soli, Chor a orkestr. Op. 89., [Burgh. 165] | složil Antonín Dvořák. [Fragment der ersten 33 Takte]

Dirigierpartitur,¹ **C** b-moll

1 Doppelblatt, lose; gebräuntes, brüchiges Papier, im Bug gerissen (Reparaturstreifen wieder entfernt), seitlich von Hand beschnitten; Hochformat: 385:303 mm.; schwarze Tinte.²

24-zeilig rastriert mit Mehrfachrastral, (1) 23. S. [I]: ganz oben Zueignung an Frau Polner: *Paní Polnervnoï"*, Mitte: Titel, rechts datiert: *"Vysoká 2. srpna 1890."*, vorne: *"Poco lento"*, links: vollständige Instrumentation, Beginn der Komposition; S. [IV]: Ende des Fragments.³

Erworben bei Auktion Stargardt, Marburg, 24./25. Nov. 1964, Katalog 570, Nr. 639 mit Faksimile der S. [I] ← R.F. Kallir, New York ← ...

¹ Die Partitur weicht von der Druckfassung ab. Vermutlich ist das vorliegende Autograph der Anfang der ersten Fassung. Dvořák leitete die Uraufführung in Birmingham am 9. Oktober 1891 selbst und nahm aufgrund der dabei gemachten Erfahrung Änderungen vor, die zu einer neuen Niederschrift des Anfangs führten. Dieser wurde dann dem Erstdruck bei Novello zugrunde gelegt.

² Bleistiftkorrektur auf S. [II]: *"ges-moll"* mit entsprechender Abänderung von Alt, Tenor und Baß im 2. Takt der Chorpartie. — Auf Seite [IV] mit Bleistift von fremder Hand "3194".

³ Lit.: (BURGHAUSER, JARMIL. Antonín Dvořák. Thematisches Verzeichnis... Prag & Kassel 1960, S. 289-294; Gesamtausgabe Serie II, Bd. 4, Prag 1961. — Ob sich die Widmung auf das ganze Werk oder nur auf dieses Autograph bezieht, ist noch abzuklären).

GRIEG, EDVARD (1843-1907)

Ballade [i form av variasjoner over en norsk folkevise, für Klavier]. *op. 24* [Fragment]

Albumblatt, $\frac{3}{4}$ g-moll

1 gefaltetes Blatt, lose; gelbliches Maschinenpapier, allseitig beschnitten, ursprünglich eine weitere Falte; Querformat: 114: 177 mm.; Wasserzeichen: Saxonia mit Löwe und Wappen; schwarze Tinte.

S. [I]: in der unteren Hälfte 2 Zeilen handrastriert, vorne *"Andante espr."* und Intrumentation *"Piano"*, die ersten fünf Takte der Komposition, links unten *"Troldhaugen/n. Bergen | 16/7/1898"*, rechts signiert: *"Edvard Grieg"*. S. [II]: leer.[1]

Erworben 1953 von Firma W. Benjamin, New York, Katalog 'The Collector' Nr. B 347 ← . . .[2]

[1] Lit.: (GRINDE, NILS. Edvard Grieg [= The New Grove Dictionary 1980 VII, 712-725], S. 723: komponiert 1875/76, gedruckt 1876).

[2] Als Vorbesitzer kommt die Sammlung Edward I. Keffer in Philadelphia in Frage.

FAURÉ, GABRIEL (1845-1924)

Pleurs d'or | duo [pour mezzosoprano, baryton et piano, op. 72] | *poésie d'Albert Samain | Gabriel Fauré*

Partitur (Urschrift?), $^{12}_{8}$ Es-Dur

3 ineinander gelegte Doppelblätter, lose, Bibliothekspaginierung; stark vergilbtes, 20-zeiliges Notenpapier mit Blindstempel Lard Esnault, Paris, 25 Rue Feydau (3 × 4 mit Blindzeilen); Hochformat: 350: 274 mm.; schwarze Tinte, Rasuren.

S. 1: Titel, S. 2: vorne: *"Andante qu[a]si Allegretto"*, Instrumentation: *"Mezzo-sop. | Baryton | Piano"*, Beginn der Komposition: *"Lar-mes aux fleurs sus-pen-du-es. . ."*; S. 8: Schluß auf den mittleren Systemen; S. 9-12: leer. Datiert und signiert auf S. 8 Mitte: *"Paris 21 avril 1896 | Gabriel Fauré"*.[1]

Erworben bei Auktion Art Ancien & Haus der Bücher AG, Zürich und Basel, Juni 1955, Katalog XXV, Nr. 421 ← . . .

[1] Lit.: (VUILLERMOZ, EMILE. Gabriel Fauré. Engl. Ausg. Philadelphia etc. 1969, S. 166. — [NECTOUX, MICHEL]. Gabriel Fauré. Mélodies. (Versailles 1974). Textheft zur Schallplattenaufnahme EMI C 165-12831/5, S. [13]: Erstdruck bei Metzler, London 1896 und bei Hamelle in Paris [1896]).

HEGAR, FRIEDRICH (1841-1927)

Uf em Bergli. | aus der Schweiz. || Alte Schweizerische Volksweise | (~~Bearbeitung für Männerchor~~ *F. Hegar*) [Text von J. W. v. Goethe]

Partitur in Klaviersystem (Druckvorlage),[1] ℭ Es-Dur

1 Blatt, lose; gelbliches 8-zeiliges Notenpapier mit Stempel J. E. No 0, 8 lining, am rechten Rand Trennspur, ursprünglich Falz in der Mitte; Hochformat 348: 265 mm.; schwarze Tinte.

S. [I]: 4 × 2, oben Titel, vorne: *"Gemütlich"*, Beginn: *"Uf em Berg-li. . ."*, Schluß auf dem letzten System, darunter drei Anmerkungen (Spracherklärungen), links oben: *"Aufführungsrecht vorbehalten"*; S. [II]: leer. Undatiert.[2] Alle drei Textstrophen interlinear eingetragen.

Erworben Juni 1961 von International Autographs R.F. Kallir, New York, Katalog 11, No. 16a (auf der Bibliothekskladde: No. 111) ← . . .

---

[1] Einträge des Druckers mit Bleistift, Blaustift und Rotstift S. [I]: "~~208~~", "~~203~~", "207", am Schluß "4", "511", oben Stempel, auf der Rückseite von anderer Hand "4515". Außerdem S. [I] oben über der gestrichenen Angabe Hegars mit Tinte und Bleistift "bearbeitet von Friedrich Hegar", unten links über den Anmerkungen mit Tinte "Fußnote:".

[2] Gedruckt im 'Volksliederbuch für Männerchor', hrsg. von Rochus Freiherr von Liliencron. 2 Bde. Leipzig [1907], I S. 511.

LEONCAVALLO, RUGGERO (1857-1919)

[Fragment aus der Oper] *Zaza | Introduzione*

Albumblatt (Klavierauszug) der ersten 5 Takte der Ouvertüre,[1] ℭ a-moll

1 Blatt, lose; steifes, beiges Papier, ursprünglich mit Falz in der Mitte; Hochformat: 321: 274 mm.; schwarze Tinte.

12-zeilig handrastriert. S. [I] vorne: *"Appassionato"*, Zitat auf $2^1/_2$ Systemen mit durchschossenen Zeilen, unten rechts: *"R. Leoncavallo | Milano 14 Nov: 1900"*; S. [II]: leer.

Erworben bei Auktion Stargardt, Marburg, 16./17. Febr. 1971, Katalog 595, Nr. 618 (mit Faksimile) ← italienischer Privatbesitz ← . . .

---

[1] Abweichungen gegenüber dem gedruckten Klavierauszug Mailand, Casa Musicale Sonzogno, 1900.

Puccini, Giacomo (1858-1924)

[Albumblatt mit vier Takten eines musikalischen Zitats] [1]

Klavierauszug, $\frac{3}{4}$ B-Dur

1 Doppelblatt, lose; 10-zeiliges starkes Büttennotenpapier; Hochformat: ca. 307: 228 mm.; Wasserzeichen auf S. [IV]: «P. Varcki»[?]; schwarzblaue Tinte.

S. [I] oben: Widmung *"Al suo Cugino Gigino"*, darunter Zitat mit dem Text *"quella notte tu del monte arri o clara"*, gefolgt von Unterschrift *"GPuccini"* und Ort und Datum *"Pisa 17.3.94"*; S. [II]: leer; S. [III]: Fremdeintrag;[2] S. [IV]: leer.

Erworben durch Eccleston Gallery bei Auktion Sotheby, London, 11. Mai 1959, Katalog, Nr. 49 (in Konvolut mit einer Postkarte von Strawinsky und Briefen von Mascagni)[3] ← ... ← Paola Ojetti ← ... ← Puccinis Vetter ← Komponist.

[1] John Hanks, Durham N. C., war so freundlich und identifizierte für uns das Musikfragment: Es handelt sich um ein abgeändertes Zitat aus dem Beginn des 'Agnus Dei' der Missa di Gloria von 1880 (Druck New York 1951). Dort stehen die ersten fünf Takte mit dem Text "Agnus Dei qui tollis peccata mundi" in C-Dur. Sie sind hier zu vier Takten zusammengezogen (1-3 = 1-2), um einen Ganzton nach unten transponiert und mit neuem Text versehen.

[2] Ein späterer Besitzer fügte eine neue Widmung mit Tinte bei: "Alla Cara Paola Ojetti/ il suo aff[ezionatissi]mo / [unlesbarer Namenszug] / [Geheimzeichen?]".

[3] Siehe die entsprechenden Autographen hier auf S. 82/3 und 72-74.

Puccini, Giacomo

Valzer di Musetta [für Sopran und Orchester] / *La Bohème* / *atto 2°* [Text von G. Giacosa und L. Illica] / *To mrs P. A. Valentine*

Klavierauszug (Abschrift),[1] 𝄴 bzw. $\frac{3}{4}$ E-Dur

3 Blätter gebunden mit dem Erstdruck des Klavierauszugs desselben Stücks[2] in grünem Maroquineinband (C. Walters) mit Goldprägung auf dem Deckel "La Bohème. Valzer di Musetta. Giacomo Puccini. Original Manuscript presented to Mrs. P. A. Valentine from the composer", verkürzter Titel auf dem Rücken. Einband mit Goldfileten auf Außen-, Steh- und Innenkanten, Goldschnitt, auf Bünden, am Anfang und Schluß je drei Vorsätze. Starkes, weißes 12-zeiliges Notenpapier mit Stempel «$^G_N{}^S_Y$ No. 2 Made in Germany»; Hochformat: 327: 258 mm., Einband: 333: 266 mm.; schwarze Tinte, die teilweise auf die gegenüberliegende Seite abgefärbt hat.

S. [I]: (1) 2 3 × 3, Beginn des Stücks: *"Quan-do me'n vo, quando me'n vo soletta per la via..."*; S. [III]: Schluß; S. [IV]: leer; S. [V]:

falsch eingebundener Vortitel *"La Bohème"*; S. [VI]: leer. Undatiert, signiert am Schluß auf S. [III]: *"Giacomo Puccini"*.[3]

Erworben bei Auktion Stargardt, Marburg, 26./27. Mai 1964, Katalog 567, Nr. 686, mit Faksimile der S. [I] ← Wiener Sammler ← ... ← Mrs. P. A. Valentine ← Komponist

[1] ohne die Stimmen von Marcello, Alcindoro und Mimi.

[2] La Bohème di G. Puccini. Quadro II. Valzer di Musetta: Quando me'n vo soletta per la via. (Soprano). Mailand, G. Ricordi, 1896. Vlg. Nr. 99345. 2 Bl.

[3] Lit.: (CARNER, MOSCO. Puccini. A Critical Biography. [London] ²1974, S. 82-95: die erste Fassung 1895 beendet. — HOPKINSON, CECIL. A Bibliography of the Works of Giacomo Puccini 1858-1924. New York 1968, S. 14-19).

MASCAGNI, PIETRO (1863-1945)

Fanfara delle diciotto Regioni d'Italia [für Trompetenchor] / *Per le nozze delle LL. AA. RR. Umberto di Savoia e Maria del Belgio* [1]

Partitur (Druckvorlage),[2] $\frac{2}{4}$ B-Dur, 38 Takte

1 Doppelblatt, lose; weißes, starkes 12-zeiliges Notenpapier, ursprünglich mit Falte; Hochformat: 306: 217 mm.; Wasserzeichen S. [I] oberer Rand: «VILASECA Y COMAS = BARCELONA»; schwarze Tinte.

S. [I]: vollständige Komposition, 8 × 1 Zeile, links: *"allegro moderato / uniss:"*, vorne: Instrumentation *"Trombe a Squillo / in Si b"*, an zwei Stellen: *"a 2 parti"*, am Schluß: *"a 4 parti"*; S. [II]-[IV]: leer. Datiert und signiert unten rechts auf S. [I]: *"P. Mascagni: / Roma, 21, XII, 1929. / Anno VIII"*.

Erworben bei Auktion Rauch, Genf, Nov. 1957, Katalog XVIII, Nr. 126 ← ...

[1] *del Belgio* steht auf einem Papier, das über den ursprünglichen Text *"José del Belgio"* geklebt wurde.

[2] Mit Bleistift von fremder Hand oben rechts auf S. [I] "2956", links "La 20", auf S. [II] "32", auf S. [III] "Mascagni".

MASCAGNI, PIETRO

Ein Konvolut von eigenhändigen Briefen, Karten etc.

1. Brief an einen Signor Alfredo, vermutlich Direktor des Gymnasiums, an dem Mascagni zur Schule ging.

   Berichtet, daß er sehr krank war und sich auf dem Weg der Besserung befinde. Er sei in seinen Kontrapunktstudien nicht so weit vorangekommen wie er wollte, doch hielten ihn seine

Lehrer am (Mailänder) Konservatorium für fortgeschritten und sein Talent für vielversprechend. Er habe eine *romanza* geschrieben und arbeite an einem *preludio*. Er befinde sich in großen Geldnöten. Signiert und datiert *"Milano 20/3/83"*.

2 Doppelblätter; Hochformat: 180: 113 mm.; alle 8 Seiten beschrieben.

2. Briefkarte an einen Signor Giulio (Ricordi?).

Dankt für das Metronom, das er für eine nützliche Erfindung hält. Bittet, ihm eine fehlende Nummer der Gazetta Musicale [di Milano, Ricordi?] zu schicken, in der eine Anweisung zur Benützung des Apparats zu finden ist. Signiert und datiert *"Cerignola 10 novemb. '90"*.

Querformat: 89: 114 mm.; beidseitig beschrieben.

3. Brief an einen unbekannten Freund.

Zeigt Interesse an einen Libretto von Illica und bittet um Übersendung. Signiert und datiert *"Livorno 5-12-'94"*.

1 Doppelblatt; Hochformat: 178: 114 mm.; S. 1 und 3 beschrieben.

4. Brief an einen gewissen Tito.

Berichtet über Schwierigkeiten und Intrigen, hervorgerufen durch den Dirigenten (Edoardo) Mascheroni. Er prophezeit einen Mißerfolg der Oper 'Iris' wegen Mascheronis Unfähigkeit. Signiert und datiert *"Roma 9 Nov.^bre 98"*.

1 Doppelblatt, rechts gefaltet; Hochformat: 210: 135 mm.; alle vier Seiten beschrieben.

5. Ansichtskarte (Passagierschiff 'La Savoie') an Giulio Ricordi, Milano. Gibt seine Reisepläne für den Frühling bekannt. Poststempel "Le Havre 9-4-03". Signiert und datiert *"6. aprile. 1903. / oceano"*. Querformat: 90: 140 mm.

6. Brief an Giuseppe Martucci.

Kondolenzschreiben. Signiert und datiert *"Napoli, 19. III, 906"*.

1 Doppelblatt, rechts gefaltet; Hochformat: 210: 134 mm.; eine Seite beschrieben. — In blauem Kuvert mit Adresse (115: 142 mm.).

7. Brief an einen Signor Macchi.

Gibt Rechenschaft über den Zustand der Drucklegung und Aufführungsvorbereitung von 'Piccolo Marat'. Signiert und datiert *"Ardenza, 8 Settembre 1919"*.

Liniertes Notizpapier; Hochformat: 274: 215 mm.; nur Vorderseite beschrieben.

8. Photo eines gemalten Ganzporträts von Mascagni.
Hochformat: 260: 190 mm.

9. Zwei Selbstkarikaturen mit Feder auf der Vorder- und Rückseite eines Notizpapiers. Signiert.
Querformat: 137: 212 mm.

Dabei ein leeres Kuvert (196: 247 mm.) adressiert an Prof. Giovanni Orsini, Rom. Poststempel "Livorno 29. 11. 1916".

Erworben durch Eccleston Gallery bei Auktion Sotheby, 11. Mai
1959, Katalog, Nr. 49 (in Konvolut mit einem Albumblatt von
Puccini und einer Postkarte von Strawinsky, siehe hier S. 71 und
82/3) ← ...

WOLF, HUGO (1860-1903)

Aus dem Lieder-Cyklus von/H. Heine | IV [Lied für Singstimme
und Klavier]

Partitur (Reinschrift), $\frac{2}{4}$ g-moll

1 Blatt, lose; leicht vergilbtes, 18-zeiliges Notenpapier; Hochformat 327: 256/258 mm.; braunschwarze Tinte.

S. [I]: (1) 5 × 3 (2), oben links: *"Wien am 5. Juni 878"* in der
Mitte: Titel, rechts: *"Hugo Wolf"*, vorne: *"Etwas geschwind"*,
Beginn des Lieds: *"Aus mei-nen gros-sen Schmer-zen. . ."*, S. [II]:
4 × 3 (6), Schluß in der Mitte des 4. Systems mit Datum: *"5. Juni
878"*, Rest leer.[1]

Erworben Dez. 1968 von Firma Breslauer, London, Katalog ?,
Nr. 307 ← ...

---

[1] Lit.: Kat. Breslauer (Fahnenabzug). — Georg Kinskys Beschreibung nach zu
schließen, dürfte unser Autograph nicht identisch sein mit jenem, das zusammen
mit den anderen Liedern desselben Zyklus in der Sammlung Wilhelm Heyers war
(vergleiche KINSKY, GEORG. Musikhistorisches Museum von Wilhelm Heyer in
Cöln. Katalog IV: Musik-Autographen. Leipzig 1916, Nr. 1639 (S. 786f)) und am
6./7. Dezember 1926 von Henrici & Liepmannssohn in Berlin versteigert wurde
(Katalog I Nr. 608). — (SAMS, ERIC. Hugo Wolf [= The New Grove, London
1980, XX, 475-502], S. 493: Erstdruck posthum in 'Lieder aus der Jugendzeit'
Leipzig 1903).

WOLF, HUGO

Das Köhlerweib ist trunken [Lied für Singstimme und Klavier, Text:] | *(Gottfr. Keller)*

Partitur (Druckvorlage?),[1] $\frac{3}{8}$ d-moll

1 Doppelblatt, lose, ursprünglich zwei Falten; etwas vergilbtes 10-zeiliges Notenpapier mit Firmenstempel und Wasserzeichen «J. E & Co. WIEN»; Hochformat: 343: 262 mm.; schwarze Tinte, Korrekturen mit Tintenstift und Bleistift.[2]

S. [I]: (1), 3 × 3, oben: Titel, vorne: *"Wild und sehr lebhaft"*, Beginn: *"Das Köhler-weib ist trun-ken..."*; S. [II/III]: 3 × 3, (1); S. [IV]: Schluß, 3 × 3, (1). Undatiert, unsigniert.[3]

Erworben 1938 von Firma Hinterberger, Wien ← Stefan Zweig, Salzburg [?] ← ...

[1] Einträge des Druckers mit Blaustift (Ziffern und "V" unter dem Titel).

[2] S. [I]: Tempoangabe *"sehr"* mit Bleistift eingefügt, passim: Vortragsbezeichnungen, Fingersätze (ab S. [III] vorwiegend mit Tintenstift).

[3] Lit.: (SAMS, ERIC. Hugo Wolf [= The New Grove, London 1980, XX, S. 475-502], S. 497: komponiert zwischen dem 7. und 23. Juni 1890, Erstdruck als Nr. 5 in: Alte Weisen. Sechs Gedichte von Keller. Mainz 1892).

MAHLER, GUSTAV (1860-1911)

[Skizzenfragment zur 4. Sinfonie, erster Satz, erste Fassung] [1]

Particell, ¢ A-Dur

1 Blatt, lose; leicht vergilbtes 12-zeiliges Notenpapier, allseitig beschnitten mit Stempel «J. E. & Co. No 14 24 linig» sowie Wasserzeichen «J. E. & Co. Wien»; Querformat (d.h. untere Hälfte eines ursprünglich hochformatigen Blattes): 265: 343 mm.; schwarze Tinte, Ergänzung mit Blaustift.

S. [I]: 5 (1) 4 (1) 4 (1) 6 (2), 1. System: 8 Takte Übergang von Ziffer 9 zu Ziffer 10 der endgültigen Partitur, 2.-4. System: 28 Takte einsetzend einen Takt vor Ziffer 10 und endend einen Takt vor Ziffer 11 der endgültigen Partitur. Nachträglich mit Blaustift die ersten vier Takte eingerahmt und mit dem Vermerk versehen *"gilt eventuell 3"*, die folgenden vier Takte sind ebenfalls eingerahmt, jedoch kanzelliert und mit dem Vermerk versehen *"eventuell Pseudo 3."*; S. [II]: leer. Undatiert, unsigniert.[2]

Erworben 1950 von Firma Ernest E. Gottlieb, Beverly Hills, Californien, Katalog 4, 1950, Nr. 124 ← Alma Mahler-Werfel, Berverly Hills ← Komponist

¹ Auf S. [II]: Eintrag von Mahlers Frau: "Skizzenblatt / aus der IV Symphonie / Alma Mahler Werfel".

² Lit.: (Gesamtausgabe Bd. IV, hrsg. v. Erwin Ratz, Wien 1963, S. i: Entstehungszeit der Sinfonie 1899-1901).

REGER, MAX (1873-1916)

Der eifersüchtige Knabe[1] / *Volkslied* / *Volksweise,* / *bearbeitet von Max Reger* [für vierstimmigen gemischten Chor]

Partitur (Druckvorlage),[2] $\frac{6}{8}$ A-Dur

1 Blatt, lose; beiges 10-zeiliges Notenpapier, ursprünglich Falt in der Mitte; Hochformat: 342: 274 mm.; schwarze Tinte.

S. [I] vorne: *"Poco andante"*, Beginn: *"Es stehen drei Sterne am Himmel. . ."*; S. [II]: Schluß auf dem ersten System.[3] Undatiert, signiert (siehe oben).[4]

Erworben 1937 von Firma Hinterberger, Wien, Katalog 18 [1937], Nr. 189, vorher Katalog IX [1936], Nr. 278 ← Stefan Zweig, Salzburg ← . . .

¹ Ursprünglicher Titel (= Liedanfang) wurde gelöscht.

² Eintragungen des Druckers mit Rot-, Blau- und Bleistift.

³ Innerhalb des 3-Systems ist die Anordnung die, daß Sopran und Alt auf der ersten Zeile zusammengefaßt sind, auf der folgenden Zeile die 7 Textstrophen eingetragen sind, und auf der dritten Zeile Tenor und Baß folgen.

⁴ Lit.: (STEIN, FRITZ. Thematisches Verzeichnis der im Druck erschienenen Werke von Max Reger. Leipzig 1953, S. 614f: Reger steuerte 12 Volksliedbearbeitungen bei an die Sammelpublikation 'Volksliederbearbeitungen für gemischten Chor'. Leipzig 1915. Unser Lied ist dort Nr. 492).

DEBUSSY, CLAUDE (1862-1918)

[Lied für Sopranstimme und Klavier "Il dort encore une main sur la lyre. . ." aus der Comédie lyrique 'Hymnis' von Théodore de Banville]

Partitur, **¢** E-Dur, 81 Takte

Ein Doppelblatt mit eingelegtem Einzelblatt,[1] ursprünglich eine Mittelfalte, lose eingelegt in blaue Leinenmappe mit rotem Lederschildchen auf dem Deckel «Claude Achille Debussy / Autograph Musical Manuscript / "Il dort encore une main sur la lyre"»; vergilbtes Notenpapier mit beschädigten Rändern, 12-zeilig (4 × 3 mit Textlinien), Blindstempel "Lardesnault Paris 25 Rue Feydau"; Hochformat: 347: 270 mm.; schwarze Tinte.[2]

S. 1: Beginn der Komposition mit 7 Takten Vorspiel gefolgt von *"Il dort en-core u-ne main sur la lyre..."*, S. 4: Schluß (oder abgebrochen?) auf dem letzten System *"... le doux po-è-te est l'envoyé des Dieux."*, S. 5/6: leer. Undatiert, unsigniert.[3]

Erworben 1955 von Firma Breslauer, London, Katalog, 1955, Nr. 100 ← ... ← Firma P. Cornuau, Paris 1937, Katalog 213, Nr. 27473 ← Auktion im Hôtel Drouot, 21. Nov. 1936, Katalog Blaizot, Nr. 40 ← ...

[1] Paginierungen mit Bleistift in der oberen Außenecke und oben Mitte.

[2] Von der Hand Pierre Cornuau's oben auf S. 1 mit Bleistift die Echtheitsbestätigung "manuscrit autographe de Cl. Debussy", ferner unten "paraît complet".

[3] Der Gutachter D. Calvocoressi, den Bernd Breslauer zugezogen hatte, datierte die Entstehung der Komposition in die 1890er Jahre; Ergebnisse neuerer Forschungen lassen die Zeit um 1882 als wahrscheinlich erscheinen. — Lit.: LESURE, FRANÇOIS. Catalogue de l'œuvre de Claude Debussy. Genève 1977, Nr. 37 mit Hinweis auf die französischen Versteigerungen. — BRISCOE, JAMES ROBERT. The Compositions of Claude Debussy's Formative Years (1879-1887). Diss. masch. University of North Carolina. Chapel Hill 1979, besonders S. 406 (Kollationsangabe falsch) mit Bibliographie und Hinweis auf den Standort.

Erstdruck in Claude Debussy. Sept poèmes de Banville pour soprano léger et piano. Edited by JAMES R. BRISCOE. Paris 1984. S. 22-25.

Gemäß Angaben bei LESURE und BRISCOE, die auf Lockspeiser zurückgehen (s.u.), sind noch zwei weitere Fragmente von Debussys Vertonung der Oper erhalten, wovon das eine sich in der Sammlung Wanda Toscanini-Horowitz, New York, befindet (Mikrofilm deponiert im Toscanini Memorial Archive, Lincoln Center, New York).

Beilage: Eigenhändiger Brief mit Unterschrift Edward Lockspeisers an die Bodmeriana vom 12. Januar 1959 aus London: Der Text des Lieds stamme aus Théodore de Banvilles Comédie lyrique 'Hymnis', die 1880 in Paris bei Tresse gedruckt wurde, nachdem sie zuvor 1879 ebenda als Opéra comique mit der Musik Jules Cressonois' aufgeführt worden war. Debussy habe mindestens noch einen weiteren Textabschnitt aus diesem Stück vertont; dies gehe hervor aus ALBRECHT, OTTO E. A Census of Autograph Music Manuscripts of European Composers in American Libraries. Philadelphia 1953, Nr. 639. - 2 Seiten.

RAVEL, MAURICE (1875-1937)

[Fragment von 9 Takten aus 'L'Enfant et les Sortilèges', Fantaisie lyrique, Text von Colette]

Klavierauszug (Baß tacet) eines Szenenausschnitts zwischen der Prinzessin und dem Kind, $\frac{9}{8}$ und $\frac{12}{8}$

1 Blatt, lose; randgebräuntes Maschinenpapier, oben und rechts beschnitten; Hochformat: 192: 154 mm.; schwarze Tinte.

S. [I]: Fragment auf drei Systemen (2 2 3) verteilt auf 14 handrastrierte Zeilen, außen links Stimmangabe: *"La Princesse"* bzw.

"*l'Enfant*", Beginn: "*yeux couleurs du temps.*" $\frac{12}{8}$ "*Tu me cherchais. . .*" bis "*. . . Que va-t-il arri-ver de*"; S. [II]: leer. Undatiert, signiert unten rechts auf S. [I]: "*Maurice Ravel*".[1]

Erworben Juli 1957 von Firma Marc Loliée, Paris, Katalog 90, Nr. 122 ← . . .

[1] Lit.: (Catalogue de l'œuvre de Maurice Ravel. Publ. Fondation Maurice Ravel. Paris (1954), S. 10-12: Erstdruck des Klavierauszugs: Paris, A. Durand [1925?], unser Abschnitt dort S. 42 Mitte bis S. 43.)

STRAUSS, RICHARD (1864-1949)

[Skizze zur Oper 'Salome', op. 54]

Particell

1 Blatt, lose; beiges 12-zeiliges Notenpapier, ursprünglich mit Mittelfalte; Querformat: 246: 336 mm.; Bleistift, Zusätze mit schwarzer Tinte.[1]

S. [I]: 3-5 3-5 3 (1), links: Instrumentation: « ~~Violine Bratsche Cello~~ » über Bratsche: "*Violine*", Beginn beim 5. Takt nach Nr. 284 der Partitur: Salome: (Ich will den Kopf des Jo-) "*chanaan*", "*Herodes*": "*Ach – Du willst nicht auf mich hö-ren. . .*"; S. [II]: 4 × 3, Abbruch 4 Takte vor Nr. 298 der Partitur, Herodes: "*. . . Vorhang des Allerheiligsten geben*", ganz unten "*Salome es es es b*". Nachträglich datiert und signiert mit schwarzer Tinte auf S. [I] 4. Zeile: "*Dr Richard Strauss, Garmisch, 24.2.19.*" (= Datum des Versands der Skizze an Carl Seelig, siehe das folgende Autograph).[2]

Erworben bei Auktion Stargardt, Marburg, 14. Nov. 1958, Katalog 540, Nr. 312 ← Carl Seelig, Zürich, 1919 ← Komponist

[1] In rotem Kuvert (195: 268 mm.) mit Marke und Stempel, "Garmisch 25. 2. [1919] Partenkirchen": "*Herrn Carl Seelig | Dichter || Zürich 2 | Mythengasse 4 || Absender: Dr Richard Strauss, | Garmisch.*"

[2] Lit.: (MUELLER VON ASOW, E. H. Richard Strauss. Thematisches Verzeichnis. Wien etc. 1955ff. Bd. I, S. 346-386).

Abb.13

STRAUSS, RICHARD

Eigenhändiger Brief an Carl Seelig, Zürich [1]

1 Doppelblatt, lose; starkes, etwas vergilbtes Briefpapier mit Briefkopf "Landhaus Richard Strauss / Garmisch", ursprünglich eine Mittelfalte, gelocht; Hochformat: 180: 115 mm.; schwarze Tinte.

S. [I] oben: Datum *"24. 2. 19"*. Bedauert, dem Adressaten kein Liedautograph senden zu können; sie seien alle in Familienbesitz. Doch schicke er beiliegendes Skizzenblatt zur 'Salome'. Nimmt das Angebot eines Werkes von Henri Barbusse (eines französischen Schriftstellers seiner Generation) mit Widmung gerne an. Bittet, Grüße an Romain Rolland zu bestellen.[2] Grußformel und Unterschrift unten rechts: *"DrRichardStrauss"*. S. [II]-[IV]: leer.

Erworben bei Auktion Stargardt, Marburg, 14. Nov. 1958, Katalog 540, Nr. 312 ← Carl Seelig, Zürich ← Komponist

---

[1] Begleitschreiben zur Übersendung des Skizzenblattes (siehe das vorausgehende Autograph).

[2] Rolland hatte sich bei der Schlichtung des Streits um die Verlagsrechte des Librettos der Salome mit dem französischen Komponisten Antoine Mariotte sehr verdient gemacht (siehe MUELLER VON ASOW, E.H. Richard Strauss. Thematisches Verzeichnis. Wien etc. 1955ff. Bd. I, S. 366f). Möglicherweise hatte auch Seelig mit der Sache zutun und deshalb ein Skizzenblatt aus dieser Oper geschenkt erhalten.

STRAUSS, RICHARD

Annies Traum aus dem Melodram: Enoch Arden | componiert | von Richard Strauss [für Klavier solo und Sprechstimme, op. 38, Text von A. Tennyson, übersetzt von Adolf Strodtmann]

Partitur (Reinschrift), **C** E-Dur

1 Doppelblatt,[1] lose; beiges 12-zeiliges Notenpapier (ursprünglich Kreuzfalte) mit Firmenstempel «B. & H. Nr. 4. C.» und Wasserzeichen der Firma (Monogramm in Wappen, darunter Datum 1779); Hochformat: 353 : 270 mm.; schwarze Tinte.[2]

S. [I]: Titel; S. [II]: 6 × 2, oben: *"Annies Traum. (Aus dem Melodram: Enoch Arden)"*, rechts: *"RichardStrauss"*, vorne: *"Langsam"*, Instrumentation: *"Pianoforte"*, Beginn: *"Und sieh: ihr Enoch saß auf einem Hügel, ..."*; S. [IV]: Schluß auf dem 3. System. Undatiert.[3]

Erworben bei Auktion Art Ancien und Haus der Bücher, Zürich und Basel, Mai 1949, Katalog XIX, Nr. 337 ← ...

---

[1] Schnitt im rechten Rand des ersten Blattes repariert.

[2] Von fremder Hand Ziffern mit Blei- und Blaustift.

[3] Lit.: (MUELLER VON ASOW, E.H. Richard Strauss. Thematisches Verzeichnis. Wien etc. 1955ff. Bd. I, S. 233f: Komposition beendet 26. Feb. 1897.)

PFITZNER, HANS (1869-1949)

[Oper:] *Rose vom Liebesgarten. Nachspiel* [für Orchester]

Dirigierpartitur [1] und Druckvorlage,[2] ₵ h-moll

42 Blätter, biegsam geheftet in Halbkaliko (blauer Karton mit Leinenrücken und Schildchen auf dem Deckel) in marmorierter Pappkassette; gelbliches 30-zeiliges Notenpapier, etwas beschnitten, stark benutzt, mit Firmenstempel: Wappen «C. A. Klemm A No. 9»; auf die Seite 29 ist eine neues Blatt mit groben Stichen aufgenäht; Hochformat: 350: 266 mm.; schwarze und rote Tinte.[3]

S. [A]: Titel, S. [B]: leer; S. [1] vorne: *"Sehr langsam"*, Mitte: *"Nachspiel"*, links: Instrumentation, S. 82: Schluß. Undatiert, unsigniert.[4]

Erworben bei Auktion Stargardt, Marburg, 3. Mai 1957, Katalog 532, Nr. 304, mit Faksimile der S. 79 ← Firma Logos (?) ← ... ← Fritz Mayer, vor 1927 ← Frau des Komponisten [5] ← Komponist

[1] Dirigiereinträge vom Komponisten (?) und von späteren Benützern mit Blau-, Rot-, Grün und Bleistift.

[2] Oben auf S. [A] von fremder Hand "56701" unten "Pag./122-182".

[3] u.a. Taktstriche mit Bleistift durchgezogen, Pagination mit Bleistift S. 2-82.

[4] Lit.: (GROHE, HELMUT. Hans Pfitzners Verzeichnis sämtlicher in Druck erschienen Werke. München & Leipzig, ca. 1957, S. 6: komponiert zwischen 1897 und 1900, Uraufführung unter Pfitzner am 9. November 1901 in Elberfeld).

[5] Beilage: Eigenhändiger Brief mit Unterschrift Mimi Pfitzners, geborene Kwast, an Fritz Mayer, ohne Ort, geschrieben vor 1926, dem Todesjahr Mimi Pfitzners: Das beigelegte Manuskript (das Nachspiel) ist als Geschenk an Fritz Mayer gedacht.

SCHÖNBERG, ARNOLD (1874-1951)

Zwei Lieder [für Singstimme und Klavier] *von Ludwig Pfau / componiert von Arnold Schönberg*

Bl. 2ʳ: *I.//Zweifler*, Bl. 4ʳ: *II.//Vergissmeinnicht*

Partitur (Reinschrift), $\frac{6}{8}$ F-Dur, bzw. ₵ g-Dur

9 Blätter,[1] angefalzt und gebunden in schwarzgrünen Halbfranzband mit grünem Rückenschild "Schoenberg. Deux Early Songs", in Schuber; 12-zeiliges Notenpapier mit Firmenstempel «J. E. & Co. No. 2, 12 linig»; Hochformat: 344: 262 mm.; schwarze Tinte, ganz wenige Korrekturen und Rasuren.[2]

Alle Blätter nur einseitig beschrieben, 4 × 3. Bl. 1ʳ im oberen Drittel: Titel, darunter *"Fräulein Gisela Cohn zum 11. September 1895"*; Bl. 2ʳ oben: *"Zweifler"*, vorne: *"Sehr lebhaft || I."*, Beginn: *"Du Kleine bist so lieb und hold. . ."*; Bl. 3ʳ: Schluß auf dem letzten System *"Fine"*; Bl. 4ʳ oben Mitte: *"Vergissmeinnicht"*, vorne: *"II. Andante"*, Beginn: *"War ein Blümlein wun-der fein. . ."*; Bl. 9ʳ: Schluß auf dem letzten System.[3]

Erworben bei Auktion Stargardt, Marburg, 13./14. Mai 1965, Katalog 572, Nr. 630, mit Faksimile des Bl. 2ʳ ← Privatsammlung in New York ← . . . ← Gisela Cohn ← Komponist

[1] Blatt 1 restauriert.

[2] Bleistifteintragung von fremder Hand Bl. 1ʳ oben links: "M 24/3".

[3] Die schon bei Stargardt abgebildete Seite findet sich gleichfalls in STUCKENSCHMIDT, H. H. Schönberg. Zürich etc. 1974, jedoch führen weder er noch Rufer die beiden Lieder in ihren Werkverzeichnissen auf (vgl. RUFER, JOSEPH. Das Werk Arnold Schönbergs. Kassel etc. 1959).

BARTÓK, BÉLA (1881-1945), und PÉTER BALLA (geboren 1908) [1]

[Ungarisches Volkslied:] *"Én ültettem az almafát. . ."* [2]

Musikethnologische Übertragung (Doppelautograph in Urschrift) mit Klassifikation, 6 Takte ungleicher Länge

1 Blatt, lose; gelbliches Maschinenpapier, ursprünglich in der Mitte gefaltet; Hochformat: 330: 198 mm.; dünne Feder: Grobtranskription mit schwarzblauer Tinte (Balla); dünne Feder: Verfeinerung und Korrekturen mit grüner Tinte (Bartók); dicke Feder: Aufführungsnachweis mit schwarzer Tinte (Bartók).

Seite [I]: Eigens für die Zwecke der Feldforschung gedruckte Spezialrastrierung mit 4 Zeilen in der oberen Hälfte der Seite, die oberste Zeile links vorgezogen mit zwei vorgedruckten Schlüsseln. a) Liedübertragung Ballas, vorne: *"Parlando rubato"*, Beginn *"Én ül-tet-tem az al-ma-fát. . ."*, vier Zeilen Melodie mit unterlegtem Text der ersten Strophe, zweite und dritte Strophe im unteren Blatteil ohne Musik. b) Bartók bringt zahlreiche Verbesserungen, die besonders die Bewertung der Verzierungen betreffen, mit grüner Tinte an und fügt als Titel ganz oben links den Autor der Übertragen und die Rubrik innerhalb der selbst ausgearbeiteten Melodieklassifikation hinzu: *"Balla [.] B.2 e) utolsó | (150 p.m.)"* c) Aufführungsnachweis mit nochmaliger Nennung des Transkriptors unten auf der Seite: *"Nyisztor Gáspár, 42é. Istensegíts (Bukovina, Radauti m.), 1934. VIII. 21 | Balla"*.[3] Seite [II]: leer. Unsigniert.[4]

Erworben bei Auktion Stargardt, Marburg, 23./24. Mai 1967, Kat. 580, Nr. 532 mit Faksimile ← New York Sammler ← . . .

[1] Über Péter Balla teilt uns freundlicherweise László Somfai, Bartók Archiv, Budapest, folgendes mit: Violinlehrer im Ruhestand, geboren zu Hajduszoboszló am 11. August 1908; arbeitete von 1932 bis 1938 für das Ethnographische Museum, Budapest. Adresse: H-2220 Vecsés, János u. 5-3.

[2] Übersetzung des Liedanfangs: "Ich pflanzte einen Apfelbaum..."

[3] Übersetzung: Aufführung durch den 42-jährigen Volksliedsänger Gáspár Nyisztor aus Istensegíts (rumänisch Tibeni) bei Radauti in der Bukovina am 21. August 1934, Transkriptor: Balla.

[4] Lit.: FUCHSS, WERNER. Bartók und die Schweiz. Freiburg/Üe. 1970, S. 66f mit Faksimile.

STRAWINSKY, IGOR (1882-1971)

Sketches from a new / version of Petroushka [1]

Partitur

2 Blätter, zusammengeklebt zu Doppelblatt, lose; 15-zeiliges Notenpapier, mit Lettern paginiert, S. c eine Zeile oben zusätzlich von Hand rastriert; Querformat: 247: 256 mm.; Wasserzeichen: «STONEWALL / LINEN LEDGER» darunter fliegende Eule; Bleistift mit Zusätzen mit Rot- und Blaustift.

S. a oben rechts mit Blaustift: *"Igor Strawinsky AUG 27/45"*, links oben: Titel, Beginn mit Ziffer *"9"* (endgültige Partitur = Ziff. 17); S. c: Ende der Skizze mit dem 5. Takte nach Ziffer *"11"* (= Ziff. 20); S. [d]: leer. [2]

Erworben 1950 von Firma Ernest E. Gottlieb, Berverly Hills, Californien, Juni 1950 ← Komponist

[1] Titel wohl erst nachträglich mit Bleistift hinzugefügt. Die Skizze zeigt Abweichungen gegenüber der endgültigen Partitur vor allem in den Stimmen der Piccolos und Flöten.

[2] Lit.: WHITE, ERIC WALTER. Strawinsky. The Composer and His Works. University of California Press 1966, Nr. 13, S. 163 und 571. Die neue Fassung von Petruschka für kleineres Orchester wurde im Oktober 1946 in Hollywood beendet und 1947 publiziert. Die Urschrift der Partitur kam in die Koch'sche Sammlung (siehe KINSKY, GEORG. Manuskripte, Briefe, Dokumente von Scarlatti bis Strawinsky... Stuttgart 1953, Nr. 347), die Skizzen blieben vorerst beim Komponisten, wo sie White noch vor Erscheinen der ersten Ausgabe seines Buchs sah (Appendix C Nr. 88).

STRAWINSKY, IGOR

Eigenhändige Postkarte an *"Monsieur Henry Prunières / 35-37 Rue Madame / (La Revue Musicale) / Paris (6ᵉ)"*

Grüngrauer Karton; Querformat: 89: 138 mm.; schwarzblaue Tinte.

Vorderseite: Adresse, 2 Marken und Stempel: "Garches / 1710 / 16-9 / 20" und Absenderstempel: "IGOR STRAWINSKY / Villa del Respiro / Av. Alphonse de Neuville / Garches (Seine & Oise) / France"

Rückseite: Datum oben rechts *"16 IX 20"*. Strawinsky bittet Prunières, ihm zu telephonieren, da er nicht nach Paris kommen könne. Paraphiert *"Jstry"*.

Erworben durch Eccleston Gallery bei Auktion Sotheby, London, 11. Mai 1959, Katalog, Nr. 49 (in Konvolut mit einem Albumblatt Puccinis und Korrespondenz Mascagnis) [1] ← . . .

---

[1] Siehe die entsprechenden Autographen hier auf S. 71 und S. 72-74.

WEBERN, ANTON VON (1883-1945)

[Skizze zweier Lieder für Singstimme und Klavier]

S. [I]: *Aufblick* [Text:] *R. Dehmel*, S. [II]: *Du träumst so süß im Sommerwind*

Partitur, **C** bzw. $\frac{6}{8}$

1 Blatt, lose in Einschlagmappe mit Lederschildchen auf dem Deckel "Anton von Webern. 1883-1945 MS"; vergilbtes 18-zeiliges Notenpapier mit Firmenstempel «J. E. & Co. No. 5 18 linig»; Hochformat: 338: 261 mm.; schwarze Tinte, mit Rasuren (erstes Lied), Bleistift mit vielen Korrekturen (zweites Lied).

S. [I]: 2 5 × 3 (1), oben rechts: *"Aufblick R. Dehmel"*, links: 4 mit Bleistift geschriebene Schlußtakte des umseitig begonnenen zweiten Lieds, hiernach auf dem 2. System: Beginn des ersten Liedes 'Aufblick' (in Tinte geschrieben) jedoch weitgehend ohne die Singstimme, auf dem 6. System Zitat der 9. und 10. Textzeile: *"Horch ein ferner Mund. . ."*; S. [II]: 3 (1) 3 × 3 (1) 3, auf dem ersten 3-System: Ende des ersten Liedes mit Datierung *"Preglhof, 12. VIII./1903"*,[1] auf dem zweiten 3-System (Zeile 5-7) Beginn des zweiten Liedes in ziemlich vollständiger Niederschrift: *"Du träumst so süß im Sommerwind. . ."*. Schluß des Lieds auf S. [I] oben. Unsigniert.[2]

Erworben April 1969 von Firma Breslauer, London ← . . .

---

[1] Takt 9 und 10 ohne Noten. Die Komposition ist schon hier mit 36 Takten konzipiert. Offenbar beabsichtigte Webern die vollständige Niederschrift, kam jedoch ins Stocken und mußte ganz neu ansetzen.

[2] Lit.: (MOLDENHAUER, HANS und ROSALEEN. Anton von Webern. A Chronicle of his Life and Work. New York 1979, S. 720f: zum 'Aufblick', Nr. 2 der 'Eight

Early Songs' Erstdruck New York, C. Fischer, 1961, nach der endgültigen Niederschrift, die sich im Moldenhauer-Archiv befindet; S. 726f: zum zweiten Lied, das dort jedoch unter der Textvariante "Du träumst so h e i s s im Sommerwind" figuriert. Moldenhauer nimmt als Entstehungszeit dieses ungedruckten Liedes, dessen Textdichter noch nicht eruiert ist, das Jahr 1901 an; doch ist in Anbetracht der Kombination mit 'Aufblick' in diesem Autograph eine Entstehungszeit näher der Datierung 12. VIII. 1903 wahrscheinlicher).

Abb.16

BERG, ALBAN (1885-1935)

HERBSTGEFÜHL. / [Lied für Singstimme und Klavier. Text:] *SIEGFR.*[IED] *FLEISCHER* / *OP. 1 No. 2*

Kalligraphische Reinschrift, $\frac{3}{4}$ C-Dur, 26 Takte

1 Doppelblatt, lose, aus geheftetem Band entfernt, Pagination S. 9-12; vergilbtes, 4 × 3-zeiliges Notenpapier (J. E. & Co. No. 12); Hochformat: 331: 258 mm.; schwarze Tusche.[1]

S. 9: Vortitel "*Op. 1 No. 2*"; S. 10: Titel und Beginn der Komposition: "*VER-WELKTE BLÄTTER ENTSEELTE GÖT-TER...*"; S. 11: Schluß; S. 12: leer. Undatiert, unsigniert.[2]

Erworben bei Auktion Stargardt, Marburg, 13./14. Mai 1965, Katalog 572, Nr. 457, mit Faksimile der S. 10 ← New Yorker Sammler ← ...

[1] Einige Spuren der Vorzeichnung mit Bleistift trotz Radierung noch sichtbar (Einteilung, Taktvorzeichnung). — Von fremder Hand Eintrag oben auf S. 9: "Alban Berg, Eigenhs. Musik-MS."

[2] Lit.: (REDLICH, H. F. Alban Berg. Wien 1957, S. 330: entstanden ca. 1902. — CHADWICK, NICHOLAS. Berg's unpublished songs in the Österreichische Nationalbibliothek [= Music & Letters LII 1971 S. 123-140] S. 123: Entstanden 1900-1901, "apparently unfinished").

Abb.2

HONEGGER, ARTHUR (1892-1955)

2 Chants d'Ariel / *extraits de la "Tempête"* / *de Shakespeare* [No. 1, für Singstimme und Klavier] *Traduction Guy de Pourtalès*

Partitur (Druckvorlage),[1] **c**

1 Doppelblatt, lose; beiges, 16-zeiliges Notenpapier; Querformat: 353: 272 mm.; braunschwarze Tinte und Rotstift[2]

3 Systeme mit Leerzeilen. S. [I]: "*Modéré*", Beginn der Komposition: "*Venez jusqu'à ces sables d'or...*", oben rechts Widmung:

"à Gabrielle Gills", links Übersetzungsangabe; S. [III]: Schluß der Komposition (bei den ersten zwei Systemen ist die Klavierstimme auf drei Zeilen notiert), mit Datum und Namenszug: *"Paris | Avril 1923 | AHonegger"*. S. [IV]: leer.[3]

Erworben bei Auktion Karl & Faber, München, 21.-22. Mai 1957, Katalog 59, Nr. 659 ← Galerie St.-Etienne, New York ← International Autographs, R. F. Kallir, New York ← ...

[1] Druckerstempel "Gravé" auf der ersten Seite oben rechts, ebenda mit Tinte unten Plattennummer "6884" und oben links mit Bleistift "4 épreuves", Ziffern in der Partitur etc.

[2] rote, rechteckig eingerahmte Orientierungsnummern.

[3] Lit.: (MEYLAN, PIERRE. Arthur Honegger. Frauenfeld etc. (1970), S. 246).

HINDEMITH, PAUL (1895-1963)

[Liederskizzen zu Gedichten von Gottfried Keller, August von Platen, Conrad Ferdinand Meyer und Max Dauthendey]

6 Blätter, lose, foliiert; dünnes, 12-zeiliges Notenpapier (G. Schirmer No 5), gelocht, ursprünglich Mittelfalte; Hochformat 266: 202 mm.; Bleistift, Zusatz mit Blaustift [1]

Blatt 1[r] oben: *"Gottfried Keller"* Melodieskizze auf Zeile 1-6, gefolgt von Skizze auf 3 Klaviersystemen; Blatt 1[v] oben: *"Platen"* 4 × 3; Blatt 2[r] oben: *"Keller"* 2 × 2, 1 × 3, 2 × 2, (1); Blatt 2[v] oben: *"Ich will Träumen"*, 7 × 1 mit Violinschlüssel, 2 × 2, (1); Blatt 3[r]: Fortsetzung (?), 2 × 2, dann zwischen den Zeilen: *"C. F. Meyer"*, 2 × 3, 1 × 2; Blatt 3[v] oben: *"Dauthendey"*, 2 × 2, 2 × 3, (2); Blatt 4[r]: Fortsetzung, 4 × 3; Blatt 4[v]: Fortsetzung, 4 × 3; Blatt 5[r] oben: *"Platen"*, 4 × 3; Blatt 5[v]: Fortsetzung, 4 × 3; Blatt 6[r]: Schluß, 1 × 3, $^1/_2$ × 1 mit Violinschlüssel; Blatt 6[v] oben: *"Eau qui se presse"*, 4 × 1 mit Violinschlüssel, 4 × 2. Undatiert, unsigniert.[2]

Erworben bei Auktion Stargardt, Marburg, Nov. 1961, Katalog 555, Nr. 93 ← Robert Ammann, Aarau, Winter 1952/53 ← Komponist

[1] Blatt 2[v] Überschrift und Zeile 1-3 sowie Blatt 3[v] Autorenangaben. — Rötelwischspur auf Blatt 1[v].

[2] Zur Vorgeschichte des Autographs siehe das folgende Stück. – Lit.: (BRINER, ANDRES. Paul Hindemith. Zürich & Mainz 1971. In der Liste der unveröffentlichten Werke auf S. 369-371 taucht unter 1936 ein "Lied nach Gottfried Keller (Das Köhlerweib)" auf, unter 1939 "Lieder mit Klavier" und unter 1942 "18 Lieder für Sopran und Klavier (deutsch, französisch, lateinisch)". Möglicherweise stehen unsere Lieder mit der letzten Gruppe in Beziehung).

Neujahrsgruß auf selbstentworfener, gedruckter Weihnachts-/Neujahrskarte an Robert Ammann, Aarau

Weißer Briefkartenkarton; Querformat: 109: 139 mm.

Vorderseite bedruckt mit ornamentalem Dessin und eingefügtem Text "Merry Christmas and Happy New Year Paul [and] Gertrud Hindemith 1952 1953"

Rückseite: Eigenhändiges Schreiben Hindemiths an Ammann mit blauschwarzer Tinte. Nimmt Bezug auf eine vorausgegangene Antwort seiner Frau an Ammann und erklärt, daß die Skizzen (siehe vorhergehendes Autograph) für Ammanns Autographensammlung bestimmt seien als Dankesgabe für "Ihre Bereitwilligkeit betreffs des Bachbriefs". (Hindemith bezieht sich hier wohl auf das Schreiben Johann Sebastian Bachs an seinen Neffen, den Kantoren Johann Elias Bach, vom 2. November 1748, das sich in Ammanns Sammlung befand. Hindemith zitiert aus diesem Brief in seiner Hamburger Rede zum Bachjubiläum von 1950 "J. S. Bach — ein verpflichtendes Erbe"; die einschlägige Stelle ist als Faksimile in der Druckfassung reproduziert ("Johann Sebastian Bach — Heritage and Obligation", New Haven 1952, S. 7A). Später wurde der Brief bei Stargardt versteigert, siehe Katalog 554, Nr. 9. Am Schluß signiert "Paul Hindemith", undatiert (ca. Dezember 1952).

Erwerb zusammen mit dem vorausgehenden Autograph.

VOGEL, VLADIMIR (1896-1984)

Der Weg meines musikalisch-kompositorischen Werdens. [Kurzessay]

Reinschrift

1 Blatt, lose; dünnes, weisses Schreibpapier; A-4 Format (298: 210 mm.); blaue Tinte.

Vorderseite oben: Titel, Beginn: *"Es ist von manchem Berufenen versucht worden. . .",* Schluß: *"Mein eigener geistiger Überbau war eher vom russischen Leben und von der russischen Literatur beeinflusst.";* Rückseite: leer. Undatiert, unsigniert.[1]

Erhalten am 30. Sept. 1977 ← Atlantis Verlag, Zürich ← Komponist

---

[1] Verwendet für die Frontseite des Schutzumschlags VALDIMIR VOGEL. Schriften und Aufzeichnungen über Musik. Zürich, Atlantis, 1977.

BRITTEN, BENJAMIN (1913-1976)

5 The Foggy-foggy Dew | arr. Benjamin Britten [Volkslied [1] für Singstimme und Klavier] [Bd. III Nr. 5]

Partitur (Urschrift und Druckvorlage),[2] **C** As-Dur

1 Blatt, lose; gelbliches 12-zeiliges Notenpapier, (1), 3, (1), 3, (1), 3; Hochformat: 307: ca. 240 mm.; Bleistift, Nachtrag mit blauer Tinte.

S. [I] oben: Titel, vorne: *"Andante"*, Beginn: *"When I was a bachelor"*;[3] S. [II]: Schluß. Undatiert.[4]

Erworben April 1961 von Firma Otto Haas, London, 1961 [5] ← Auktion Christie's ← . . .

[1] Textnachweis von Brittens Hand auf dem Titel oben rechts mit blauer Tinte *"Suffolk. | Oxford Book Light Verse."*

[2] Druckeranweisung Brittens auf S. [I] Mitte *"Please leave | blank for Verse"* sowie oben links der kanzellierte Vermerk *"3 verses"*.

[3] Die Texte der beiden Strophen sind über der Singstimme eingetragen.

[4] Lit.: (Benjamin Britten. A complete catalogue of his works. London, Boosey & Hawkes, 1963, S. 34: publiziert in den Folk Song Arrangements for Voice and Piano. Vol. 3: British Isles. For High or Medium Voice. No 5, o.J., sowie gleichzeitig als Separatveröffentlichung) — (WHITE, ERIC WALTER. Benjamin Britten. London etc. ²1954, S. 146: Der dritte Band erschien 1948).

[5] Beilage: Offertbrief des Verkäufers vom 5. April 1961.

ABBILDUNGEN

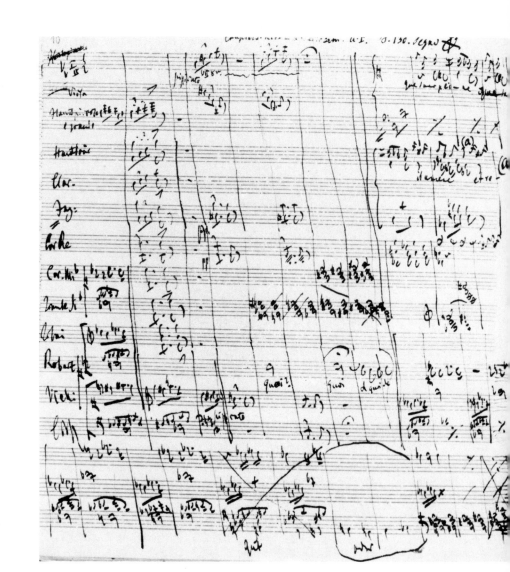

11   MEYERBEER — *Notenbüchlein zu 'Robert der Teufel', S. 10/11*

Introduction. ballade. Andrer Rhythmus für sanfte ernew; statt Délire ich beruhigt billte
lay; sein san z.B. ah: quelle erren; Sques Délire. —

(dito) — Dir die Ehr étoit dit—on wieder stolen, aber it bester qui etoit recht? ?

dito — Joi de Normand?

_____ General Bemerkungen _____

Bertram in der ersten Reihe Noten (und es an dem Stück geschrieben D) später
lagen.
ich Orgeln direkt die Gran Cassa und der Tauben leiser schreiben.

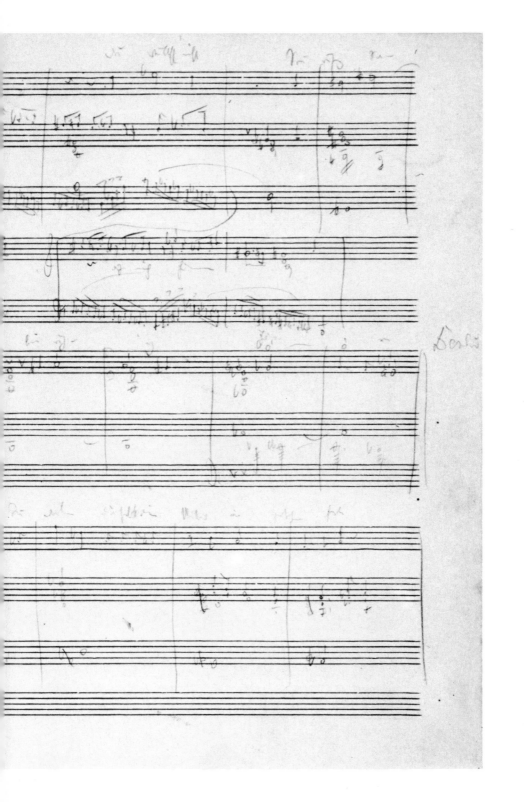

Текст А. Апухтина

Муз. П. Чайковскаго

ор. 60

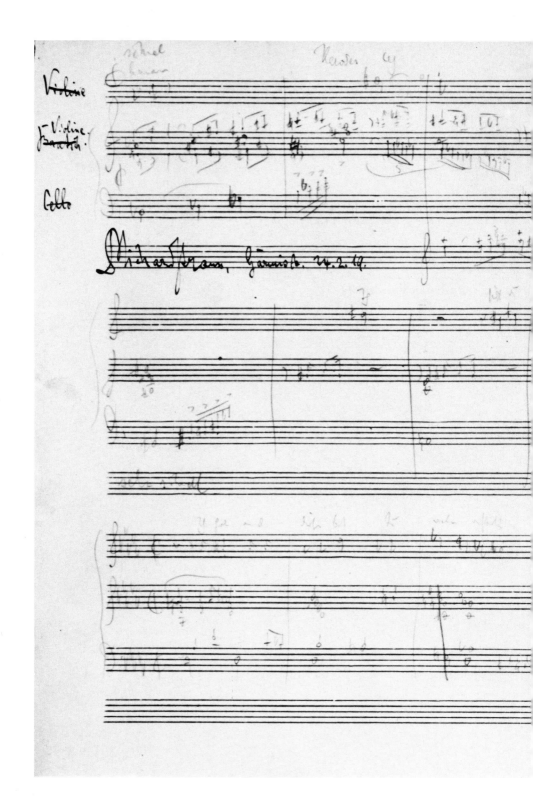

Richard Wagner

Paris, 22 Février 1860.

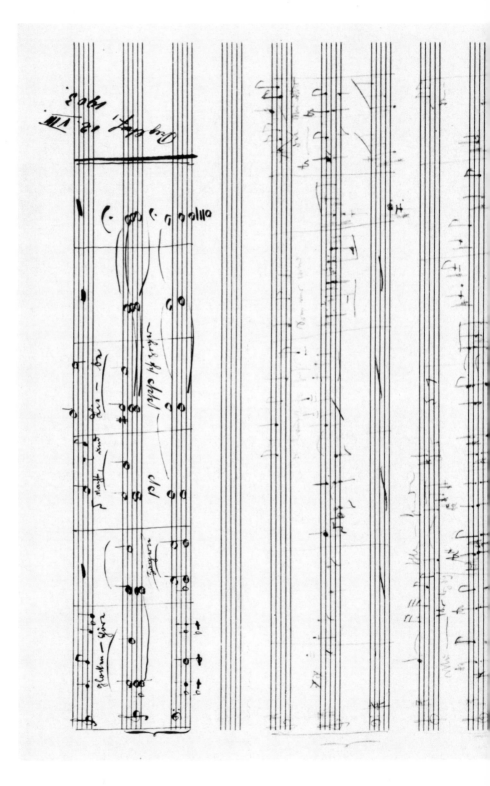

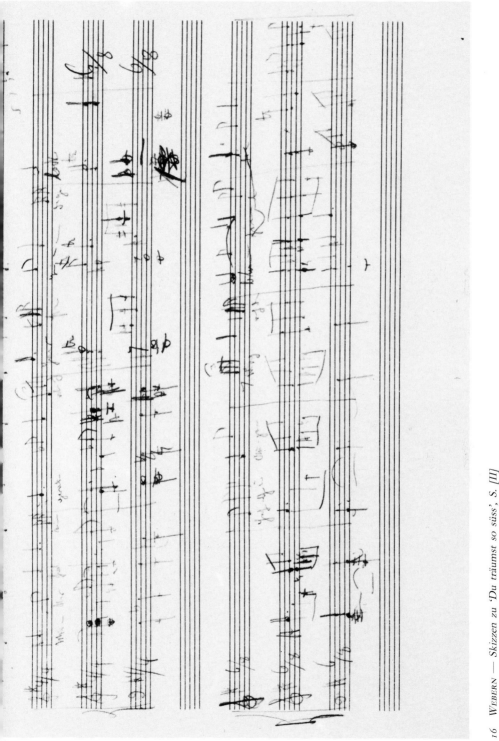

16 WEBERN — Skizzen zu 'Du träumst so süss', S. [II]

REGISTER

Verzeichnis der mit Handschriften vertretenen Komponisten

Verzeichnis der Handschriftengattungen

Personen
(ohne Firmen, Sammler und Vorbesitzer)

Firmen, Sammler und Vorbesitzer

Orte
(ohne Firmensitze und Wohnorte der Vorbesitzer)

Verzeichnis der Abbildungen

104

PUBLIKATIONEN
DER BIBLIOTHECA BODMERIANA

REIHE PAPYRI

Papyrus Bodmer I. Iliade, chants 5 et 6. Publié par Victor Martin. 90 p. et 6 pl. 1954. Epuisé.

Papyrus Bodmer II. Evangile de Jean, chap. 1-14 [grec]. Publié par Victor Martin. 152 p. 1956. Epuisé.

Papyrus Bodmer II. Supplément. Evangile de Jean, chap. 14-21. Publié par Victor Martin. 53 p. 1958. Epuisé.

Papyrus Bodmer II. Supplément. Evangile de Jean, chap. 14-21. Publié par Victor Martin et J. W. B. Barns. Nouvelle édition augmentée et corrigée, avec reproduction photographique complète du manuscrit (chap. 1-21). 53 p. et 152 pl. 1962. sFr. 55.– ISBN 3 85862 001 9.

Papyrus Bodmer III. Evangile de Jean et Genèse I-IV, 2, en bohaïrique. Edité par Rodolphe Kasser. C.S.C.O. 177/178, Scriptores coptici 25/26. 61 p. et 46 p. Louvain 1958.

Papyrus Bodmer IV. Ménandre: Le Dyscolos. Publié par Victor Martin. 115 p. et 21 pl. 1958. Epuisé.

Papyrus Bodmer V. Nativité de Marie. Publié par Michel Testuz. 127 p. et 1 pl. 1958. Epuisé.

Papyrus Bodmer VI. Livre des proverbes. Edité par Rodolphe Kasser. C.S.C.O. 194/195, Scriptores coptici 27/28. 169 p. et 38 p. Louvain 1960.

Papyrus Bodmer VII-IX. VII: L'Epître de Jude. VIII: Les deux épîtres de Pierre. IX: Les Psaumes 33 et 34. Publié par Michel Testuz. 81 p. et 3 pl. 1959. Epuisé.

Papyrus Bodmer X-XII. X: Correspondance apocryphe des Corinthiens et de l'apôtre Paul. XI: Onzième Ode de Salomon. XII: Fragment d'un Hymne liturgique. Manuscrit du IIIe siècle. Publié par Michel Testuz. 77 p. et 3 pl. 1959. Epuisé.

Papyrus Bodmer XIII. Méliton de Sardes. Homélie sur la Pâque. Manuscrit du IIIe siècle. Publié par Michel Testuz. 153 p. et 3 pl. 1960. Epuisé.

Papyrus Bodmer XIV. Evangile de Luc, chap. 3-24. Publié par Victor Martin et Rodolphe Kasser. 150 p. et 61 pl. 1961. ISBN 3 85682 002 7.

Papyrus Bodmer XV. Evangile de Jean, chap. 1-15. Publié par Victor Martin et Rodolphe Kasser. 83 p. et 38 pl. 1961. ISBN 3 85682 003 5. Les 2 vol. XIV et XV (pas vendus séparément) sFr. 60.–.

Papyrus Bodmer XVI. Exode I-XV, 21, en sahidique. Publié par Rodolphe Kasser. 198 p. et 43 pl. 1961. Epuisé.

Papyrus Bodmer XVII. Actes des Apôtres. Epîtres de Jacques, Pierre, Jean et Jude. Publié par Rodolphe Kasser. 270 p. et 4 pl. 1961. Epuisé.

Papyrus Bodmer XVIII. Deutéronome I-X, 7, en sahidique. Edité par Rodolphe Kasser. 228 p. et 49 pl. 1962. Epuisé.

Papyrus Bodmer XIX. Evangile de Matthieu XIV, 28 - XXVIII, 20. Epître aux Romains I, 1 - II, 3, en sahidique. Publié par Rodolphe Kasser. 256 p. et 49 pl. 1962. sFr. 67.– ISBN 3 85682 004 3.

Papyrus Bodmer XX. Apologie de Philéas, évêque de Thmouis. Publié par Victor Martin. 56 p. et 15 pl. 1964. sFr. 28.– ISBN 3 85682 005 1.

Papyrus Bodmer XXI. Josué VI, 16-25; VII, 6 - XI, 23; XXII, 1-2, 19 - XXIII, 7, 15 - XXIV, 23, en sahidique. Publié par Rodolphe Kasser. 137 p. et 77 pl. 1963. sFr. 68.– ISBN 3 85682 006 X.

Papyrus Bodmer XXII et Mississipi Coptic Codex II. Jérémie XL, 3 - LII, 34, Lamentations. Epitre de Jérémie, Baruch I, 1 - V, 5, en sahidique. Publié par Rodolphe Kasser. 340 p. et 74 pl. 1964. sFr. 140.– ISBN 3 85682 007 8.

Papyrus Bodmer XXIII. Esaïe XLVII, 1 - LXVI. 24, en sahidique. Publié par Rodolphe Kasser. 204 p. et 80 pl. 1965. sFr. 98.– ISBN 3 85 682 008 6.

Papyrus Bodmer XXIV. Psaumes XVII-CXVIII [grec]. Publié par Rodolphe Kasser et Michel Testuz. 235 p. et 98 pl. 1967. sFr. 135.– ISBN 3 85682 009 4.

Papyrus Bodmer XXV. Ménandre: Le Bouclier. En appendice: compléments au Papyrus Bodmer IV, Ménandre: le Dyscolos. Publié par Rodolphe Kasser, avec la collaboration de Colin Austin. 49 p. et 15 pl. 1969. ISBN 3 85682 010 8.

Papyrus Bodmer XXVI. Ménandre: La Samienne. Publié par Rodolphe Kasser, avec la collaboration de Colin Austin. 65 p. et 19 pl. 1969. ISBN 3 85682 011 6. Les 2 vol. XXV et XXVI (pas vendus séparément) sFr. 50.–.

Papyrus Bodmer XXIX. Vision de Dorothéos. Edité avec une introduction, une traduction et des notes par André Hurst, Olivier Reverdin, Jean Rudhardt. En appendice: Description et datation du Codex des Visions par Rodolphe Kasser et Guglielmo Cavallo. 129 p. et 9 pl. 1984. sFr. 54.– ISBN 3 85682 021 3.

REIHE KATALOGE

I Manuscrits et autographes français. Catalogue établi par Bernard Gagnebin. 72 p. et 14 pl. 1973. sFr. 28.– ISBN 3 85682 012 4.

II Manuscrits français du Moyen Age. Catalogue établi par Françoise Vieilliard. Avec une introduction de Jacques Monfrin. 189 p. et 20 pl. 1975. sFr. 50.– ISBN 3 85682 013 2.

III Inkunabeln der Bodmeriana. Katalog bearbeitet von Helene Büchler-Mattmann. 240 S. und 38 Abb. 1976. sFr. 64.– ISBN 3 85682 016 7.

IV English and American Autographs in the Bodmeriana. Catalogue compiled by Margaret Crum. 106 p. and 17 illustrations. 1977. sFr. 48.– ISBN 3 85682 017 5.

V Manuscrits latins de la Bodmeriana. Catalogue établi par Elisabeth Pellegrin. 487 pages et 34 planches, dont 2 en couleurs. 1982. sFr. 95.– ISBN 3 85682 020 5.

VI Musikhandschriften der Bodmeriana. Katalog bearbeitet von Tilman Seebass. 104 S. und 16 Abb. 1986. ISBN 3 85682 023 X.

REIHE TEXTE

I Die älteste Märchensammlung der Brüder Grimm. Synopse der handschriftlichen Urfassung von 1810 und der Erstdrucke von 1812. Herausgegeben und erläutert von Heinz Rölleke. 403 S. und 4 Abb. 1975. sFr. 58.– ISBN 3 85682 014 0.

II Das Römer Graduale aus Santa Cecilia in Trastevere. In Faksimile herausgegeben von Max Lütolf. In Vorbereitung.

III Canticum canticorum. Faksimile-Ausgabe des Cod. Bodmer 32. Nachwort von Alois M. Haas. 80 S. und 1 Farbtaf. 1978. sFr. 45.– ISBN 3 85682 018 3.

IV Le Roman de Troie en prose (version du Cod. Bodmer 147). Edité par Françoise Vieilliard. 233 p. et un frontispice. 1979. sFr. 65.– ISBN 3 85682 019 1.

V Le Roman de Waldef (Cod. Bodmer 168). Edité par A.J. Holden. 373 p. et un frontispice. 1984. sFr. 80.– ISBN 3 85682 022 1.

VI Kalocsa-Codex (Cod. Bodmer 72). Vollständige Studienausgabe. Wissenschaftlicher Kommentar: Dr. Karin Schneider (erscheint gleichzeitig in der Reihe CODICES SELECTI, Akademische Druck-u. Verlagsanstalt, Graz). In Vorbereitung.

Alle Reihen werden fortgesetzt.

FONDATION MARTIN BODMER
C.P. 7, CH-1223 COLOGNY-GENÈVE